Edith Stein

Keine Frau ist ja nur Frau

Texte zur Frauenfrage

Herausgegeben und eingeleitet
von
Hanna-Barbara Gerl

Herder
Freiburg · Basel · Wien

Reihe *frauenforum*
herausgegeben von Karin Walter

Wir danken Frau Dr. L. Gelber, Archivum Carmelitanum Edith Stein,
für die freundliche Genehmigung zum Abdruck der Texte
aus Edith Steins Werken.

Umschlaggraphik: Claudia Huber-Eustachi

© für diese Ausgabe: Verlag Herder Freiburg im Breisgau 1989
Herstellung: Freiburger Graphische Betriebe 1989
ISBN 3-451-21596-9

Inhalt

Edith Stein und die Frauenfrage

Einführung von Hanna-Barbara Gerl

Edith Stein, am 1. Mai 1987 als Martyrerin seliggesprochen, gehört zu den „intelligenten Heiligen", wie sie Karl Rahner für das 20. Jahrhundert wünschte. In ihr verkörpert sich nicht der überwiegend gewohnte Typus der christlichen Frau, das Karitative der Elisabeth, das Mütterlich-Sorgende der großen volkstümlichen Heilerinnen Hildegard, Walburga, Odilia, das Dienende, wie es in der Küchenschwester Ulrika Nisch zeitgleich zu Edith Stein wieder hervorgehoben wurde. Die selbstbewußte, zielgerichtete Studentin der Philosophie, Doktorin, Lehrerin, Schriftstellerin Edith Stein, deren Werkausgabe bisher zwölf Bände umfaßt, verkörpert vielmehr Intellekt, nicht selten auch die Spröde des Intellekts. Eine tiefergehende Beschäftigung mit ihr wird einen Einsatz von Denken, in manchen Werken schlechthin philosophisches Training erfordern, ihre wissenschaftlichen Arbeiten lesen sich nur in sorgfältiger Analyse. Edith Stein lebt die Ausnahmeform weiblicher Existenz, die erst im 20. Jahrhundert möglich wurde: intellektuelle Selbständigkeit als Beruf. Und sie lebt dies mit Selbstbewußtsein, einer raren weiblichen Gabe. „Ich war glücklich an der Universität unter den Männern; ich habe nicht darunter gelitten."[1]

Nun ist dieses Gesicht hinter der Martyrerin von Auschwitz fast verschwunden, die auf entsetzliche Weise zum Schweigen gebracht wurde. Um so dringlicher ist es aber heute, gerade im Umbruch des christlichen und kirchlichen Frauenbildes, zur geistigen Kontur einer Denkerin zurückzufinden, die die Bindung an das Wahre anderen Bindungen vorgezogen hat. Dabei wird die Lektüre Edith

Steins nicht notwendig eine gefühlsmäßige Faszination ausüben; das Merkmal ihres Denkens ist Sachlichkeit. Auch hat sie selbst – soweit man das aus den Zeugnissen entnehmen kann – nicht vorrangig über das Gefühl gewirkt, weder im Umgang mit sich selbst noch im Suchen einer Attraktivität gegenüber anderen. Aber es gibt auch das Angezogensein von einer Geistigkeit, sogar in der Form des Nüchternen; wer dieses sucht, wird bei Edith Stein auf wohltuende Rationalität stoßen. Obgleich die Beschäftigung mit ihr auch zu der Schwelle führen wird, wo Geistigkeit mehr ist als Rationalität. „Schönheit ist Geist", sagte Dante über Beatrice; bei Edith Stein sei mit einem gewissen Wagemut umgekehrt formuliert: „Geist ist Schönheit" – er weist über das Wahre weit hinaus.

Das noch unausgeschöpfte Vordenken dieser Philosophin, Pädagogin, Phänomenologin sei nun an einem Impuls nachgezeichnet: an ihrer Neigung zur Frauenbewegung, was zunächst an einem Gang durch ihre Biographie anhebt.

Der alte und schöne Satz der Scholastik: „Die Gnade vollendet die Natur und zerstört sie nicht", gilt auch im Fall von Edith Stein. Längst bevor sie 1922 Christin wurde, nämlich schon als Gymnasiastin, hatte sie sich den Idealen der damaligen Frauenbewegung angeschlossen und war darin eine Teilstrecke ihrer eigenen Emanzipation gegangen. Auf die Breslauer Abiturientin wird beim Abschied 1911 ein Verschen gemünzt:

> „Gleichheit der Frau und dem Manne
> So rufet die Suffragette,
> Sicherlich sehen dereinst
> Im Ministerium wir sie."[2]

Das Verschen stammte von den Mitschülerinnen, die Lehrer hatten dies in der Klassenprima nicht vermutet: „Es wurde ihnen selbst klar, wie wenig sie uns im Grunde gekannt hatten."[3]

Während des geliebten und sie befreienden Studiums in Breslau ab 1911 – die Studienfächer waren Germanistik und Philosophie, letzteres als „Psychologie des Denkens" betrieben – trat die bereits früh selbstbewußte Studentin zusammen mit ihrer Schwester Erna, einer späteren Ärztin, und zwei anderen Freundinnen einer Reihe von reformbetonten Vereinen bei: dem Bund für Schulreform, einem Studentinnenverein und schließlich dem preußischen Verein für Frauenstimmrecht, welcher „die volle politische Gleichberechtigung für die Frauen anstrebte"[4] und vor allem Sozialistinnen anzog. Denn für das gesamte „vierblättrige Kleeblatt" galt: „Heiß bewegte uns alle damals die Frauenfrage. Hans[5] war unter den Studenten ein weißer Rabe; er trat nämlich so radikal für die vollständige Gleichberechtigung der Frauen ein wie nur irgend einer von uns. Oft sprachen wir über das Problem des doppelten Berufs. Erna und die beiden Freundinnen waren sehr im Zweifel, ob man nicht der Ehe wegen den Beruf aufgeben müsse. Ich allein versicherte stets, daß ich um keinen Preis meinen Beruf opfern würde. Wenn man uns die Zukunft vorausgesagt hätte! Die drei andern heirateten und behielten trotzdem ihren Beruf bei. Ich allein blieb unverheiratet, aber ich allein ging eine Bindung ein, der ich mit Freuden jeden andern Beruf zum Opfer bringen wollte."[6]

Die junge intellektuelle Frau wird in ihrem Studium immer sicherer, verwirft Ungemäßes (darunter die als zu unscharf empfundene Psychologie) und gerät mit dem Instinkt der Begabung an Edmund Husserls „Logische Untersuchungen" (1900/01). Diese grundlegende Theorie, in Methode und Thema umwälzend, bot für die Studentin einen ungeheuren gedanklichen Anreiz. Nach vier Semestern Breslauer Studium geht sie im April 1913 zu Husserl nach Göttingen, gewillt, die fast vorbildlose Karriere einer Philosophin zu machen: „Ich konnte die scheinbar festesten Bande mit einer leichten Bewegung abstreifen und davonfliegen wie ein Vogel, der der Schlinge entronnen ist."[7] Was sie an der Phänomenologie entzückte, war die „Klärungsarbeit" und der voraussetzungslose und doch streng kontrollierte Beginn, „weil man sich hier das gedankliche Rüstzeug, das man brauchte, von Anfang an selbst schmiedete".[8] Ihre Intellektualität, ihr Autonomie-Streben, ihre Durchsetzungskraft kommen hier gleichermaßen zu Wort; schon in diesen Jahren hatte Edith Stein etwas erstaunlich Zielgerichtetes. Sie selbst empfindet ihre Willensbetonung im Rückblick als männlich, genau wie ihr Leben unter den Kommilitonen „männliche" Züge ausprägt: „Wissenschaft ist das Gebiet strengster Sachlichkeit. Die weibliche Eigenart wird also nur da fruchtbar zur Geltung kommen, wo die Sache, die es zu erforschen gilt, persönliches Leben ist, d. h. in den Geisteswissenschaften: Geschichte, Literatur usw. Wer sich eine der abstrakten Wissenschaften – Mathematik, Naturwissenschaften, reine Philosophie usw. – als Arbeitsgebiet wählt, in dem wird in der Regel die männliche Geistesart vorherrschen, wenigstens was die reine Forschung angeht."[9]

Dieses Urteil spiegelt die damalige Erfahrung, die als die einzig mögliche erschien. Daß diese Wertung durch die folgende Entwicklung aufgelöst wurde und voreilig war, hat Edith Stein selbst an manchen Stellen reflektiert (was noch zur Sprache kommen wird). Wichtig ist für diesen Lebensabschnitt, daß sie aus dem ihr vertrauten Frauenbild herauswächst, ja herausfällt und vom Innersten her zustimmt, gar nicht anders kann, als das scheinbar „Unfrauliche" als eigenste Gabe zu entdecken. Dies geschieht noch in einer zweiten Hinsicht. Während ihres Studiums in Göttingen beschäftigt sie sich ausdauernd mit sozialen und politischen Fragen, teils bedingt durch ihr Nebenfach Geschichte, aber nicht aus „romantischer Versenkung in vergangene Zeiten; damit hing aufs engste zusammen eine leidenschaftliche Teilnahme an dem politischen Geschehen der Gegenwart als der werdenden Geschichte, und beides entsprang wohl einem ungewöhnlich starken sozialen Verantwortungsbewußtsein, einem Gefühl für die Solidarität der Menschheit, aber auch der engeren Gemeinschaften."[10]

Ein Anwendungsgebiet ist die Frauenfrage, deren damaligen Stand sie 1932 unmißverständlich kennzeichnet: „Rechtlich und politisch waren um die letzte Jahrhundertwende die Frauen den Unmündigen, das heißt den Kindern und geistig Minderwertigen, gleichgestellt. Die Reichsverfassung von 1919 brachte die prinzipielle Gleichstellung, die sie zu Vollbürgern machte. Durch die Verleihung des aktiven Wahlrechts wurden sie zu einem politischen Machtfaktor, an dem man nicht mehr vorbeigehen konnte. Das passive Wahlrecht gab die Möglichkeit, sie an verantwortlicher Stelle zu Trägern des Staatslebens zu machen. (...) Wir brauchen eine allgemeine, gründliche politische und soziale Schulung als Vorbereitung für die Erfüllung der staatsbürgerlichen Pflichten, (übrigens nicht nur für die Frauen, sondern für das ganze deutsche Volk, das ja erschreckend unreif in die demokratische Staatsform hineingeschleudert worden ist) und spezielle Vorbereitungswege für die verschiedenen Posten im Staatsdienst, die nach Frauenarbeit verlangen."[11]

Was Edith Stein in Göttingen anstrebte, die „prinzipielle Gleichstellung" der Frau mit dem Mann im Recht, wurde für sie selbst zum Testfall. Daß sie überhaupt ein Universitätsstudium beginnen konnte, verdankte sie der Öffnung der deutschen Universitäten ab 1900 für das Frauenstudium.[12] Auch die Promotion bei Husserl in Freiburg, 1916 glänzend mit „summa cum laude" zum Thema „Einfühlung" bestanden, war ohne Einschränkungen möglich, desgleichen ihre Anstellung beim „Meister" als seine Assistentin, freilich im privaten Rahmen und unterbezahlt. Diese Zusammenarbeit, die eher eine Zuarbeit Edith Steins bedeutete, wurde von ihr beendet, da sie dabei nur ihre Gabe zur systematischen Ordnung tausender, in Kurzschrift verfaßter Manuskriptseiten anwenden konnte. Wonach sie aber mit aller verfügbaren Leidenschaft strebte, war das eigenschöpferische Arbeiten. Vom Oktober 1916 bis zum Februar 1918 versuchte sie, die Privatassistentin und die Philosophin, die ihre selbständigen Gedanken vorstellen wollte, zu vereinen – dann entschloß sie sich zum schmerzlichen Schnitt. Aber auch in dieser Zwischenzeit meldet sich Ungewohntes, das dem bürgerlichen Lebensideal behüteter Weiblichkeit zuwiderläuft. Der schlechten Bezahlung wegen stellt sich die Frage des Auskommens, möglicherweise in einer Schule. Hier springt die Mutter ein, Auguste Stein, die das Ungewöhnliche an diesem geliebten und begabtesten Kind erfaßt hatte, die der ins Ungewisse hochsteigenden Karriere die „normalen" Hemmungen hinwegräumen wollte. „Ich habe (...) meiner Mutter unterbreitet, daß ich mit Beschäftigung für immer versorgt wäre und daß mir nur eine lebenslängliche Rente dazu fehlte. Ich erhielt umgehend die Antwort, ich solle mir um diesen Punkt keine Sorge machen. Also ist das Schreckgespenst der Rückkehr an die Schule aus meinem Dasein verbannt, und das bedeutet doch eine große Erleichterung."[13]

Edith Stein will mehr: sie strebt zur Habilitation in Philosophie. Trotz der Tatsache, daß die Habilitation für Frauen gesetzlich noch nicht erlaubt war.[14] „Sollte die akademische Laufbahn für Damen eröffnet werden, so könnte ich sie an allererster Stelle und aufs wärmste für die Zulassung zur Habilitation empfehlen"[15] – so Husserl in seinem Empfehlungsschreiben an die Universität Göttingen vom 6. Februar 1919. Die Bewerbung schlug jedoch fehl, obwohl sich Edith Stein hohe Chancen ausgerechnet hatte; mehr noch: sie wurde bereits im Vorfeld abgewiesen. „Die Sache ist gar nicht vor die Fakultät gekommen, sondern in aller Stille erledigt worden."[16] Diese Stille bedeutete, daß das wahre Argument der Zurückweisung nicht ausgesprochen werden mußte; nach allem, was sich schließen läßt, lag es in der Weiblichkeit der Kandidatin begründet. Ohne Namensnennung kursiert eine Anekdote über einen ähnlichen Fall: „Auf einer Sitzung des Senats wurde über die Berufung einer Dame auf einen Lehrstuhl der Universität Göttingen beraten. Nun hatten damals nur Ordinarien Sitz und Stimme im Senat. Zum ersten Male in der Geschichte der Georgia Augusta wäre eine Frau Mitglied des Senats geworden. Dieses schier unerhörte Ereignis wurde stundenlang diskutiert, bis schließlich Hilbert auf den Tisch klopfte: „Aber meijne Härren, wir sind doch eijn Senaat und keijne Baadeanstalt!"[17]

Es legt sich die Frage nahe, weshalb sich Edith Stein nicht gleich in Freiburg bei Husserl selbst habilitierte, der sie doch am besten einschätzen konnte. Wieder kommt dieselbe unterschwellige Schwierigkeit nach oben: Husserl war „aus Prinzip"[18] gegen die Habilitation von Frauen. Damit ist für Edith Stein eine jahrelange und vergebliche Suche nach einer angemessenen, ihre besten Kräfte einfordernden Arbeit eingeleitet: noch dreimal (!) wird sie sich, bis ins Jahr 1932, also über dreizehn Jahre hinweg, um eine Habilitation bemühen: in Kiel, in Breslau, schließlich sogar bei Heidegger in Freiburg, der sie seinerseits weiterempfiehlt.[19] Hauptgrund ihres Scheiterns ist ohne Zweifel ihr Geschlecht, in zweiter Hinsicht wohl auch ihre jüdische Abstammung. In jedem Fall wird sie hingehalten, ein Kampf mit offenem Visier ist nicht möglich. Sie selbst hat nach der ersten trüben Erfahrung eine Eingabe an den preußischen Kultusminister gemacht, die Zulassung von Frauen zur Habilitation grundsätzlich zu ermöglichen, was der Minister 1920 übrigens in einem Erlaß aufgriff.[20]

Die vergeblichen Wege und Umwege hatten mehrere Folgen. Zum einen blieb die Arbeitsfreude Edith Steins fast unberührt von dem verweigerten Berufsziel. Die Werke der

20er Jahre entspringen in rascher Reihenfolge, besonders wenn man die nun doch notwendig gewordene Schularbeit ab 1922 in St. Magdalena in Speyer bedenkt. Die Freude am phänomenologischen Analysieren, seit der Wende zum Christentum nun auch auf die christliche Philosophie Thomas von Aquins bezogen, setzt sich über alle berufliche Kleinarbeit hinweg durch – und dieser Eros ist in seiner gleichbleibenden Dichte erstaunlich. Schon nach der Kündigung bei Husserl, stellungslos geworden, wenn auch noch alle Träume von einer Universitätslaufbahn nährend, gibt sie privaten Unterricht über die Phänomenologie im Breslauer Winter 1918. Der dortige Ordinarius Julius Guttmann empfahl sie mit Wärme: „Wenn Sie das Glück haben sollten, daß sie mit Ihnen arbeitet, dann können Sie eine bessere Einführung in die phänomenologische Forschungsmethode nicht finden."[21] Das bewegende Zeugnis einer Hörerin, Gertrud Koebner, holt ihr damaliges Bild herauf: „(Ich) war von ihrer unscheinbaren Erscheinung und ihrem wortkargen Auftreten überrascht. Aber schon bei dieser ersten, allgemeinen Unterhaltung (...) machte mir die tiefe Klugheit und Klarheit ihrer wenigen Bemerkungen einen großen Eindruck. (...) Die Stunden an ihrem Schreibtisch waren streng, sie nahm es mit der Arbeit sehr ernst und verstand es wunderbar, die mir unbekannte Materie eindringlich klar zu machen – immer geduldig, unermüdlich, sachlich. (...) Ich staunte über ihre intensive Anteilnahme an allen wissenschaftlichen Arbeiten und Lebenswegen. Sie ‚korrigierte' die ihr laufend brieflich vorgelegten Manuscriptbogen der Freunde, die ihre Arbeiten nicht ohne ihre Kritik schreiben wollten."[22] Diese Art hält sich durch alle Rückschläge durch – wobei die Stärkung durch das Christentum wohl den Ausschlag gab. Aber dies ruhte auf ihrer starken natürlichen Mitgift auf, wie es sich noch einmal am Ende aller fast schon verflossenen Träume von einem Lehrstuhl zeigte. Edith Steins Eros zur Wissenschaft brach ein letztes Mal um 1930 so stark durch, daß sie den Schuldienst in Speyer an Ostern 1931 aufgab und sich erneut an eine Habilitationsarbeit setzte, die jetzt als Skizze „Potenz und Akt" erhalten ist. Dabei hoffte sie auf eine durchaus noch ungewisse Annahme der Arbeit in Freiburg. Zugleich zeichnete sich jedoch rückendeckend eine Dozentur am Deutschen Institut für wissenschaftliche Pädagogik in Münster ab. Und nun eine tief charakteristische Bemerkung, wie wenig Edith Stein ihr Forschen auf einen Zweck hin ausrichtete, wie wörtlich sie sich den sachlichen Fragen unterordnete: „Wenn der Ruf an die Pädagogische Akademie vorher käme, würde ich vielleicht auf die Habilitation ganz verzichten. Nachdem die Arbeit angefangen hatte, war sie mir sofort viel wichtiger als alle Zwecke, denen sie eventuell dienen könnte."[23] Sachlichkeit ist tatsächlich ein Lieblingswort, das auch in der Neukonzeption des Frauenbildes auftauchen wird. Nach dem Zeugnis Gertrud Koebners ist es auch mehr als nur Arbeitsethos, es hat Edith Steins Charakter gefärbt: „Denn durch ihre eigene Offenheit öffnete sich ihr jeder. Sie übte die offenste Kritik, die nicht schmerzte, sondern half, da sie selbst sich nicht als überlegen gab."[24] Sachlichkeit als Haltung also, die die Wahrheit der Sache als gemeinsames Drittes zwischen mir und dem anderen anerkennt. Oder: die die Wahrheit der Sache als das Souveräne im eigenen Leben anerkennt.

Dennoch ist der Arbeitseros, der durch die Vergeblichkeit aller Mühen nie wirklich gebrochen wurde, nur die eine Seite Edith Steins. Zugleich begleitet sie ein Stachel im Fleisch, was zu dem Gesagten nicht im Widerspruch stehen muß. Durch die verrinnenden Jahre hindurch fragt sie sich mehr als einmal, ob ihre Begabung auch ausreiche. Sicherheit mischt sich mit Unsicherheit, nur wird die letztere nach außen weniger erkennbar. Und hier mögen die Demütigungen durch den verweigerten akademischen Rang mitspielen, Folge eines gebremsten Höhenfluges. „Beim Durchlesen kommt mir meine Expectoration wieder reichlich ‚autotativ' vor. (Conrad nennt mich bisweilen Autotatos – Superlativ seines eigenen Spitznamens Autos). Das ist nur so der preußische Habitus. Innerlich bin ich ganz klein und unterschreibe jede Kritik unbesehen."[25]

Der Zwiespalt beginnt freilich schon früher, sogar unmittelbar nach der glänzenden Promotion, die sie eine außerordentliche intellektuelle, aber auch seelische Mühe gekostet hatte. So an den Freund Roman Ingarden am 10. April 1917: „Ich bin ganz gerührt, daß jemand mein unglückseliges opus so liebevoll aufnimmt. Ich selbst habe ja keinerlei mütterliche Gefühle für diesen ‚Embryo in spiritus' (wie Lipps sagen würde). Immerhin sollte es mich freuen, wenn Sie etwas Brauchbares daran fänden."[26] Und kurz zuvor: „(...) denn es scheint mir, daß Sie (und wohl ganz mit Recht) meine philosophische Begabung nicht gerade hoch einschätzen."[27]

Diese Unsicherheit mag tatsächlich ein Spiegel sein, Spiegel der philosophischen Umwelt, die Edith Steins Leistung zur Kenntnis nahm, aber nicht mit vollem Ernst. Analysiert man Husserls Bemerkungen über seine Schülerin und vertraute Assistentin, so bezeichnet er sie mit „Fräulein", wo weit weniger verdiente Schüler mit „Herr Doktor" angesprochen werden.[28] Ohne Zweifel hat Edith Stein die mühevolle Hauptarbeit an der Aufbereitung der Texte zum Zeitbewußtsein getragen, ja das Manuskript fast druckfertig dem „Meister" vorgelegt. Es wurde jedoch erst 1928 durch Martin Heidegger herausgebracht, der seinerseits Edith Stein im Vorwort beiläufig erwähnt.[29] Diese Nachordnung hinterließ Spuren. Freilich gehört es zu Edith Steins religiöser Begabung, Vorgänge dieser Art in Demut umzuschmelzen – ein Wort, das ebenfalls oft zu ihrer Charakterisierung fällt[30]. Dennoch liegen Verletzungen vor, heute würde man sie „frauenspezifische" nennen, die der an sich selbstbewußten Philosophin zu schaffen machten. Auch die Tatsache, daß Freunde wie Roman Ingarden und Hans Lipps ihre Mithilfe und Kritik bei Manuskripten in Anspruch nahmen und selbst ohne größere Mühe die Laufbahn einschlugen, die ihr einfachhin versagt blieb, ist zumindest menschlich nicht zu unterschätzen.

Mit den beiden letztgenannten Namen kommt ein Weiteres ins Spiel: Edith Stein selbst als Frau. Lange Zeit war ihr Leben von ihren späteren Entschlüssen her gelesen worden: Karmelitin zu werden (ihr Wunsch schon seit ihrer Taufe 1922) oder doch zumindest unverheiratet im „Weltdienst" zu leben. So sah man, gerade vor dem Hintergrund ihres wissenschaftlichen Intellektes, nur ein Fehlen aller „Herzensangelegenheiten". Und ihre Novizenmeisterin Theresia Renata de Spiritu Sanctu in Köln überlieferte einen angeblichen Satz Edith Steins: „Akademisches Leben verpflichtet. Ich habe immer wie eine Nonne gelebt."[31]

Selbst wenn sie dies formuliert hätte, so enthüllt doch die Autobiographie andere, ergänzende, weiblichere Züge. Die erste Studienzeit in Breslau und Göttingen ist erfüllt von einem Freundeskreis beiderlei Geschlechts; der Akzent dieser Freundschaften liegt auf der verbindenden „Menschlichkeit". Es ist die Zeit, in der Edith Stein vor allem als Kamerad und Mensch genommen werden will, wo Komplimente über ihr Äußeres einfach abprallen, wo sie ihr Überlegenheitsgefühl über einen beträchtlichen Teil der Menschheit in einer recht spöttischen Kritiksucht ausdrückt.[32] Annäherungen von seiten des männlichen Geschlechtes werden jedenfalls leichthin abgewiesen.[33] Trotzdem ist der Wunsch nach Philosophie *und* Ehe im Wachsen, er liegt ihr sogar nahe. Die noch unveröffentlichten Briefe an Roman Ingarden[34], dem Freiburger Husserl-Kreis zugehörig, erweisen eine tiefe Neigung der jungen Doktorin, deren Höhepunkt offenbar im Jahre 1917 lag. Freilich ein Höhepunkt, der ebenso offenbar einseitig war und blieb; die Briefe ab 1918 verraten die Mühe, eine zugewiesene Grenze der Freundschaft auf sachlicher Grundlage einzuhalten; es gelingt nicht immer, und manche Entschuldigungen fallen. Dieses Jahr 1917 muß eine umstürzende Veränderung in der sonst so überlegen wirkenden Edith Stein bedeutet haben, und die Erschütterung kam nicht zum geringsten Teil aus einer unerwiderten Liebe. In diese Zeit fällt die heftigste Suche nach Sinn, und es fällt sogar schon die entschiedene Annäherung an das Christentum, ohne natürlich bereits ausgereift und sichtbar zu sein. Die Verzweiflungen dieses jungen Lebens sind mittlerweile mannigfach: Der erste Weltkrieg tobt; Edith Stein hört, als Assistentin von Husserl in Freiburg tätig, den Geschützdonner der Vogesenfront, zuweilen sieht man an den Abenden sogar die Artilleriefeuer; die mit soviel Hingabe angetretene Arbeit beim „Meister" überfordert und unterfordert sie gleichzeitig, der Bruch tut sich bereits notwendig auf; die offene Frage der endgültigen Berufslaufbahn läßt sich nicht beantworten; und schließlich die erste tiefe Beziehung zu einem als ebenbürtig empfundenen Mann, durch die gemeinsame Sache, den gemeinsamen Lebenskreis verbunden – und dieser Mann verschließt sich, will eine geistige Freundschaft durchsetzen, wo auf ihrer Seite mehr ist und mehr wartet.

Tatsächlich wirkt so etwas wie Verzweiflung; Edith Stein hat mehrfach ihren Weg zum Christentum als eine Wiedergeburt aus Zerstörung gekennzeichnet. So an Ingarden selbst am 10. Oktober 1918 (zwei Tage vor ihrem 27. Geburtstag): „Ich weiß nicht, ob Sie es aus früheren Äußerungen schon entnommen haben, daß ich mich mehr und mehr zu einem durchaus positiven Christentum durchgerungen habe. Das hat mich von dem Leben befreit, das mich niedergeworfen hatte, und hat mir zugleich die Kraft gegeben, das Leben aufs neue und dankbar wieder aufzunehmen. Von einer ,Wiedergeburt' kann ich also in einem tiefsten Sinne sprechen. Aber das neue Leben ist doch für mich so innig verknüpft mit den Erlebnissen des letzten Jahres, daß ich mich nie in irgend einer Form von ihnen lossagen werde; sie werden immer lebendigste Gegenwart für mich sein. Nur kann ich darin kein Unglück mehr sehen, im Gegenteil, sie gehören mit zu meinem wertvollsten Besitz. Damit müssen aber auch Sie sich zufrieden geben; Sie dürfen nicht zu einer Episode stempeln, was für mich soviel mehr bedeutet."[35]

Später schreibt sie offen, in den „Beiträgen zu einer philosophischen Begründung der Psychologie und der Geisteswissenschaften" (1925 im „Jahrbuch für Philosophie und phänomenologische Forschung" erschienen): „Ein Erlebnis, das meine Kräfte überstieg, (hat) meine geistige Lebenskraft völlig aufgezehrt und mich aller Aktivität beraubt"[36]. Diese Offenheit dient einer Hinführung zu etwas Objektivem, einem inneren Umschlag, den sie aber nicht als mechanisch, etwa als Folge der Erschöpfung, erfährt: „Das Ruhen in Gott ist gegenüber dem Versagen der Aktivität aus Mangel an Lebenskraft etwas völlig Neues und Eigenartiges. Jenes war Totenstille. An ihre Stelle tritt nun das Gefühl des Geborgenseins, des aller Sorge und Verantwortung und Verpflichtung zum Handeln Enthobenseins. Und indem ich mich diesem Gefühl hingebe, beginnt nach und nach neues Leben mich zu erfüllen und mich – ohne alle willentliche Anspannung – zu neuer Betätigung zu treiben. Dieser belebende Zustrom erscheint als Ausfluß einer Tätigkeit und einer Kraft, die nicht die meine ist und, ohne an die meine irgendwelche Anforderungen zu stellen, in mir wirksam wird. Einzige Voraussetzung für solche geistige Wiedergeburt scheint eine gewisse Aufnahmefähigkeit zu sein, wie sie in der dem psychischen Mechanismus enthobenen Struktur der Person gründet."[37]

Wiedergeburt – ein starker Ausdruck, der einen Zusammenbruch markiert, aber auch ein befreiendes, ja beseligendes Gehaltensein – ebenso neu wie unerwartet wie unbegreiflich. In Edith Steins Leben ist es der Wechsel aus dem Begreifenwollen in das Ergriffenwerden, erstmals. Und sie ging auf diesen „Absprung" ein, den Absprung vom Durchsetzungsvermögen, ihrer ausgeprägten Willenskraft, und gewann erstmals, ahnungsweise und noch lange nicht am Ziel, ein nicht mehr übersichtliches, aber lebendiges Gegenüber. Die Wucht dieser Anziehung ist erheblich. Sie mündet, nach mehreren Jahren der Wanderung durch die langsam sich erschließende christliche Literatur, in den einen Abend im Bergzaberner Haus der Freundin Hedwig Conrad-Martius 1921: Edith Stein greift „zufällig" aus dem Bücherbrett die Lebensbeschreibung der Teresa von Avila und sagt sich am Ende der durchlesenen Nacht: „Das ist die Wahrheit!" Erst in dieser Nacht fallen die drei Grundentscheidungen, alle auf einmal, an denen das kommende Leben Edith Steins Bestand haben wird: Christin zu werden, Katholikin zu werden (denn bisher war sie durchaus vom Protestantismus angezogen gewesen), Karmelitin zu werden.

Aber auch diesem endlichen Ankommen geht noch eine zweite Beziehung voraus, die wohl ähnlich wie die erste einseitig war: die Freundschaft zu Hans Lipps, der ebenfalls aus demselben „philosophischen Stall" stammte. Lipps entschied sich jedenfalls rasch zu einer Heirat mit einer anderen Frau, sichtlich überstürzt, denn die Ehe zerbrach nach wenigen Jahren; zwei Kinder blieben beim Vater. Und Hans Lipps erschien etwa um 1925 in Speyer bei Edith Stein und bat sie, jetzt seine Frau zu werden. Diesmal lehnte sie ab: ihre Entscheidung zielte längst auf anderes.[38]

Mit diesen Hinweisen sei das bisher wenig beachtete Gesicht der durchaus einer Ehe geneigten jungen Frau beleuchtet. Sonst überträgt sich der mögliche Eindruck eines Blaustrumpfs auf den gleich anschließenden Eindruck, Edith Stein wäre von Jugend auf – unbewußt – auf ein klausuriertes Leben zugesteuert. Das Gesicht der Karmelitin wie der Philosophin gewinnt jedoch an Lebensnähe und übrigens an Autorität vor dem Hintergrund dieser beiden tiefgehenden menschlichen Verwundungen.

Man kann freilich – anhand eines reizenden Zitats von ihr – fragen, ob sie tatsächlich Beruf und häusliche Bindung mit allen Pflichten bewältigt hätte, bei ihrer berühmt unpraktischen Ader, die auch später im Karmel bei allen Handarbeiten auffiel. Jedenfalls mokiert sie sich, an Ingarden gerichtet, über sich selbst: „Haushalt und Philosophie taugen doch nicht zusammen. Frau Husserl hat allerdings konstatiert, daß ich ein recht brauchbares Dienstmädchen bin und die Philosophie an den Nagel hängen sollte. Aber von Natur aus gehöre ich doch entschieden zum Geschlecht der Grillen und lasse viel lieber ein paar brave Ameisen für mich sorgen, als daß ich mich selbst mit der leidigen Praxis befasse."[39]

Von der persönlichen Kontur Edith Steins als Frau war die Rede; wie sehen ihre *Gedanken* zum Thema Frau aus, in der ganzen Reichweite zwischen Grille und Ameise, um in der Äsopischen Fabel zu bleiben?[40] Also zwischen ungebundener Freiheit und Fürsorge für andere?

Nach ihrer Taufe Anfang 1922 wird Edith Stein durch ihre neunjährige Lehrtätigkeit (1922–1931) an der Mädchenschule St. Magdalena in Speyer herausgefordert zur Beschäftigung mit der spezifischen Mädchenerziehung. Ferner hatte sie für ein knappes Jahr (Ostern 1932– Januar 1933) in Münster am „Deutschen Institut für wissenschaftliche Pädagogik" Vorlesungen über „Probleme der neueren Mädchenbildung" und über Anthropologie zu halten. Außerdem wurde Edith Stein zu Vortragsreisen durch Deutschland und Österreich eingeladen (z. B. 1930 zur „inoffiziellen" Eröffnung der Salzburger Hochschulwochen), weil sie als Theoretikerin der katholischen Frauenbewegung galt. So entstehen zwischen den Jahren 1928 und

1933, als ihre öffentliche Wirksamkeit durch die Ariergesetzgebung gewaltsam beendet wurde, eine Reihe von Vorträgen, die zumeist in dem Sammelband „Die Frau. Ihre Aufgabe nach Natur und Gnade" vereinigt sind. Damit wurde Edith Stein durch Lebensweg und Begabung nicht so sehr zu einer Vorkämpferin – denn für den Kampf war sie zu gelassen und sachbetont, bei aller auch feurigen Anlage ihrer Natur –, als vielmehr zu einer Vordenkerin der Frauenfrage, deren geschichtliche Abläufe sie studierte und zu deren christlicher Aufhellung sie das Ihre beizutragen suchte.

Dabei kommt zum Vorschein eine wache und eigenständige Durchdringung des Problems, und zwar in seiner wirklichen Breite: pädagogisch, politisch, gesellschaftlich-sozial, philosophisch-anthropologisch, schließlich auch theologisch, ja kirchlich und kirchenrechtlich. In der Methodik wird sie dabei von dem ihr beruflich vordringlichen Problem einer eigenständigen weiblichen Bildung zu einer Begründung aus der Eigenart der Frau weiterfragen. Die Pädagogik wird also sofort an Erfahrungswissenschaften, besonders die Physiologie und Psychologie, angebunden. Mit Klarheit kennzeichnet sie dabei die notwendige Grundlegung aller Einzelbeobachtungen durch eine leitende Wissenschaft. Vom Maß des Verstandes her wäre dies eine „philosophische Anthropologie", die freilich selbst zu einer Grenzüberschreitung des Verstandes nötigt. „Was die natürlichen Möglichkeiten des menschlichen Verstandes übersteigt, das kann ihm das übernatürliche Licht der Offenbarung enthüllen. (...) So verlangt die philosophische Anthropologie von sich aus nach Ergänzung durch eine theologische Anthropologie, d. h. eine Herausstellung des Menschenbildes, das in unserer Glaubenslehre enthalten ist."[41]

Was hier vielleicht kompliziert klingt, ist genau betrachtet die Anstrengung, aus dem bloß Subjektiven hinauszugelangen. Eben dies macht Edith Steins Stimme auch nach 60 Jahren noch hörenswert, selbst wenn manche ihrer Antworten heute fragwürdig klingen. Beachtlich ist vor allem ihr ausgreifender, methodisch klarer Ansatz: Nicht ist sie ja von vorneherein in katholischen Vorstellungen aufgewachsen, sie verband vielmehr durch ihre Herkunft preußisch-liberale Ideale mit einer strengen philosophischen Schulung der Begrifflichkeit und arbeitete sich als Christin außerdem in die alttestamentlich-jüdische Denkwelt ein. So vollzog sie ihre Hingabe an das Christentum mit einer ungewöhnlichen Weite außerchristlicher Anstöße. Wohltuend reichen ihre Stellungnahmen über das gewohnte Vokabular hinaus; insbesondere verhindert ihre beständige Übung, Zusammenhängen bis auf den Grund zu gehen, ein bloßes Nachsagen des schon Bekannten und schafft eine systematisch angelegte Wahrnehmung der Frau.

Daß damit kein letztes Wort gesagt ist, versteht sich bei dieser so vielfältig verflochtenen und bis in die geheimnisvolle Unbestimmbarkeit des Menschen reichende Frage von selbst. Aber das 20. Jahrhundert – wie die Jahrhunderte vorher – kennt nicht so viele Frauen, erst recht nicht aus dem katholischen Raum, die so nüchtern im Denken und so leidenschaftlich in der Suche nach dem Glauben waren und welche die Frauenfrage unter die „Zeichen Gottes" einreihten. Hinzu kommt, daß Edith Stein durch ihr Leben und mehr noch durch ihren erzwungenen, aber angenommenen Tod am 9. August 1942 in Auschwitz einen besonderen Zeugnischarakter gewonnen hat. Und so erwartet man mit Recht von einer existentiell bezeugten Wahrheit mehr als von gelernten und angelesenen Wahrheiten.

Frauen von heute werden in den vorgelegten Texten teils eine willkommene „Schwester aus der Geschichte" sprechen hören, teils eine von der modernen Frauenbewegung längst überholte Schwester ausmachen. Die unbedingte Orientierung der Frauenfrage an biblischen und klassischanthropologischen Aussagen wird Vielen unnötig, ja vielleicht sogar mißleitend erscheinen. Gerade hier zeigt sich aber, welche neuen Möglichkeiten Edith Stein den herkömmlich gedeuteten Aussagen abzugewinnen vermochte, wie hilfreich ihr Intellekt dem Glaubenwollen beisprang, wie wenig die Überlieferung dem Geiste nach ausgeschöpft ist. „Es ist viel mehr vom echt katholischen, d. h. freien und weiten, Standpunkt aus möglich, als man durchschnittlich meint."[42] In Edith Stein vereinen sich zwei Freiheiten: die Freiheit einer selbständig denkenden Philosophin und die Freiheit einer durch die Offenbarung zum Denken entbundenen Christin. Ein seltenes Zusammentreffen, zweifellos. Man sollte es würdigen: durch Nach-Denken und Weiter-Denken.

Die Herausforderung des Neuen:
Der Umbruch des Frauenbildes
im 20. Jahrhundert

Edith Steins Leben steht selbst inmitten der Umwälzungen politischer und sozialer Art, die die Frauenfrage als ein Hauptthema der Zeit aufgenötigt hatten. Daß sie selbst von 1908–1911 das Oberlyzeum der Breslauer Victoriaschule mit dem Abitur abschließen, daß sie sich an der Breslauer Universität immatrikulieren konnte, ist eine damals seit kurzem gereifte Frucht der Frauenbewegung des 19. Jahrhunderts. Erst 1896 hatten deutsche Mädchen in Hamburg nach dem zähen Kampf Helene Langes das Abitur ablegen können; erst ab 1900 öffneten sich die Tore der ersten deutschen Universität in Baden (Bayern folgte 1903, Preußen erst 1908), obwohl der Kampf darum bereits seit der Gründung des Allgemeinen Deutschen Frauenvereins um 1865 aufgenommen worden war. „Als die erste Frau lesen lernte, begann die Frauenbewegung" – dieser griffige Satz von Marie von Ebner-Eschenbach drückt *eine* Seite der angestrebten, weit umfassenderen Zielvorstellung aus. Neben dem Kampf um Bildung von Frauen durch Frauen stehen nicht minder der Kampf um gleiches bürgerliches Recht (Frauenstimmrecht z. B.) und gleichen Rechtsschutz, aber auch die Auseinandersetzung um Ehe- und Sittlichkeitsfragen (Bund für Mütterschutz und Sexualreform, 1905 gegründet von Dr. Helene Stöcker in Berlin). Die konfessionellen Frauenverbände schlossen sich der Bewegung erst um die Jahrhundertwende an (1899 Evangelischer Frauenbund, 1903 Katholischer Frauenbund, 1904 Jüdischer Frauenbund), wobei die sozialen, caritativen und erzieherischen Fragen gleichfalls in den Vordergrund rückten.

Als Edith Stein ihre Reflexionen am Ende der 20er Jahre

niederschreibt, ist längst ein weiterer wesentlicher Zug hinzugetreten: die Mitarbeit der Frau in Politik, Parlament, Gesetzgebung, wobei sich hier gerade die christlichen Frauen auszeichneten.[1] Edith Steins eigene historische Begabung und ihr Gefühl für Gerechtigkeit hatten sie ja selbst in die Nähe dieser Arbeit gebracht. So wird sie in ihren Ausführungen sowohl die Phasen der vorangegangenen „ererbten" Frauenbewegung als auch die zeitgenössischen neuen Fragen und – nicht ohne Schärfe – auch deren Stagnationen darstellen. An diesen Stagnationen setzt sie mit ihren Analysen ein: „Frauenstudium ist heute wieder in einem Maße zum Problem geworden, wie wir es noch vor wenigen Jahren für unmöglich gehalten hätten. Sein Recht wird bestritten mit den alten Argumenten, die wir aus den Anfängen der Frauenbewegung kennen, und hinter den Angriffen stehen stoßkräftige Machtgruppen. Die ideale Grundlage aber, die den Anfängen der Frauenbewegung ihren großen Elan gab, deutscher Idealismus, Liberalismus, ist zusammengebrochen. Sie hält dem Ansturm neuer Ideologien hier ebensowenig mehr stand wie im politischen Leben."[2]

Im Hintergrund dieser Bemerkung von 1932 steht bereits der aufkommende Nationalsozialismus mit seiner neuen Verzweckung der Frau. Was Edith Stein ausfaltet, ist nicht nur vom Wunsch getragen, das alte Anliegen in seinen Ursprüngen und in seinem Recht deutlich zu machen, sondern nicht minder vom Wunsch, den bröckelnden Idealismen eine andere, dauerhafte Begründung nachzuschieben. Dazu dient die Charakterisierung des überholten Frauenbildes der viktorianischen und romantischen Zeit, die Skizzierung der Gegenwartsnöte und vor allem das Konzept eines Frauenbildes, das sich biblisch-christlichen Argumenten verdankt. Hier findet sie eine Emanzipation, die unmittelbar dem Glauben entspringt und die die bisherige Kulturgeschichte der weiblichen Unterordnung revidieren muß.

Es ist nicht unwichtig, daß Edith Stein in der eigenen Entwicklung eine solche christliche Emanzipation von fremden Erwartungen, fremden Bestimmungen, fremden Einschätzungen selbst leistete – bis zu dem Grade, daß sie sich gar nicht mehr spezifisch als „Problem" Frau verstand. „Als Gymnasiastin und junge Studentin bin ich radikale Frauenrechtlerin gewesen. Dann verlor ich das Interesse an der ganzen Frage. Jetzt suche ich, weil ich muß, nach rein sachlichen Lösungen."[3]

Sicher drückt sich hier – wie man heute sagen würde – Mangel an fraulicher Solidarität aus. Andererseits: Ist nicht *persönlich* bei ihr das Ziel der Frauenbewegung erreicht, sich selbst überflüssig zu machen? Dieses Ziel ist bis heute nicht eingeholt, aber Edith Stein dokumentiert mit ihren Überlegungen und mit ihrer eigenen Haltung eine wichtige Zwischenphase. Bei aufmerksamem Lesen ist nur weniges schon pure Geschichte geworden.

Wir können nicht an der Frage vorbei, was wir sind und was wir sollen. Und nicht nur der reflektierende Intellekt stellt uns davor. Das Leben selbst hat unser Leben zum Problem gemacht.

Eine Entwicklung, die von manchen geahnt, von wenigen gewollt und durch die Tat angestrebt wurde, den meisten ohne Vorbereitung über den Kopf kam, hat die Frauen aus dem wohlumfriedeten Bezirk des Hauses und aus selbstverständlich gewordenen Lebensformen und -aufgaben herausgerissen, sie in die mannigfaltigsten fremdartigen Verhältnisse versetzt, sie plötzlich vor ungeahnte praktische Probleme gestellt. Man ist in den Strom geworfen und muß schwimmen. Aber wenn die Kräfte zu versagen drohen, sucht man sich, wenigstens für eine Atempause, ans Ufer zu retten. Man möchte sich besinnen, *ob* man denn weiter muß, und wenn: wie man es anfangen soll, um nicht zu versinken; (man möchte) Stromrichtung und Wellenstärke und die eigenen Kräfte und Bewegungsmöglichkeiten prüfend ermessen und gegeneinander in Anschlag bringen. (F 45)

In den Anfängen der Frauenbewegung hieß das große Schlagwort: *Emanzipation.* Das klingt etwas pathetisch und etwas revolutionär: Befreiung aus Sklavenfesseln. Etwas weniger großartig ausgedrückt war die Forderung: Beseitigung der Bindungen, die der Ausbildung der Frau und ihrer beruflichen Betätigung im Wege standen, Eröffnung der *männlichen* Bildungswege und Berufszweige. Frei gemacht werden sollten die persönlichen Fähigkeiten und Kräfte der Frau, die ohne diese Wirkungsmöglichkeiten vielfach verkümmern mußten. Das Ziel war also ein *individualistisches.* Die Forderung stieß auf lebhaften Widerstand, als größere Gruppe machte eigentlich nur die äußerste Linke sie sich zu eigen. „Die Frau gehört ins Haus", erscholl es von

allen Seiten gegen die Frauenforderungen. Man be-
fürchtete, die Erfüllung der Forderungen werde die weibliche Eigenart und den natürlichen Beruf der Frau gefährden.
Auf der andern Seite hielt man ihnen entgegen, daß die
Frau vermöge ihrer Eigenart zu den *männlichen* Berufen
nicht tauglich sei. Dem wurde von seiten der Frauenrechtle-
rinnen heftig widersprochen und in der Hitze des Kampfes
verstieg man sich dazu, die weibliche *Eigenart* ganz zu *leugnen*. Damit war das Argument der Untauglichkeit am ein-
fachsten aus der Welt geschafft. Dann konnte natürlich
auch von einem *Eigenwert* nicht die Rede sein. In der Tat
kannte man kein anderes Ziel, als es dem Mann auf allen
Gebieten möglichst gleich zu tun.

Die Weimarer Verfassung brachte die Erfüllung der
Frauenforderungen in einem Umfang, wie es wohl auch die
kühnsten Vorkämpferinnen der Frauenbewegung so rasch
kaum für möglich gehalten hatten. Und damit trat eine
Wandlung ein. Die Kampfspannung ließ nach. Man wurde
wieder fähig, ruhiger und nüchterner zu urteilen. Außerdem kann man über die Tauglichkeit der Frau für die Aufgaben des beruflichen und öffentlichen Lebens heute auf
Grund jahrelanger Erfahrung reden, während früher die Argumente beider Parteien Urteile a priori, wenn nicht gar
willkürliche Behauptungen waren. So ist für die heutige Situation zunächst einmal charakteristisch, daß die weibliche
Eigenart als eine *selbstverständliche Tatsache* angenommen
wird. Wir sind uns unserer Eigenart wieder bewußt geworden. Mancher, die sie früher leugnete, ist sie vielleicht
schmerzlich zum Bewußtsein gekommen, wenn sie einen
der herkömmlicherweise männlichen Berufe ergriffen hatte
und sich in Lebens- und Arbeitsformen hineingezwungen
sah, die ihrem Wesen nicht angemessen waren. Wenn ihr
Wesen stark genug war, ist es ihr vielleicht gelungen, den
männlichen Beruf in einen *weiblichen* umzuformen. Und
dabei konnte sich das *Selbstbewußtsein* noch in einem an-

27

dern Sinn regen: es bildete sich die Überzeugung aus, daß in der Eigenart ein *Eigenwert* beschlossen liegt.

Und schließlich ist eine allgemeine Zeitströmung auch für die Stellung zur weiblichen Eigenart maßgebend geworden. Der individualistische Zug des 19. Jahrhunderts ist mehr und mehr einem sozialen gewichen. Was heute gelten will, das muß für die Gemeinschaft fruchtbar gemacht werden. (F 206–207)

Rechtlich und politisch waren um die letzte Jahrhundertwende die Frauen den Unmündigen, d. h. den Kindern und geistig Minderwertigen gleichgestellt. Die Reichsverfassung von 1919 brachte die prinzipielle Gleichstellung, die sie zu Vollbürgern machte. Durch die Verleihung des aktiven Wahlrechts wurden sie zu einem politischen Machtfaktor, an dem man nicht mehr vorbeigehen konnte. Das passive Wahlrecht gab die Möglichkeit, sie an verantwortlicher Stelle zu Trägern des Staatslebens zu machen. Die Erfahrungen, die man mit weiblichen Abgeordneten und Beamten in höheren Stellen gemacht hat, werden gewiß nicht überall gleichmäßig sein. Es sind zweifellos unter ihnen ebenso wie unter den männlichen Kollegen solche, die nach Begabung und Charakter mehr oder minder für ihren Posten geeignet sind. Ich glaube aber, man wird sagen dürfen, daß die Regierungsstellen, die auf eine längere Erfahrung zurücksehen, kaum noch geneigt wären, auf die Mitarbeit der Frauen zu verzichten, weil es eine Fülle von Aufgaben gibt, für die man sie einfach braucht. Allerdings bringt diese Situation eine Verpflichtung mit, für eine systematische Schulung zur Erfüllung solcher Aufgaben Sorge zu tragen, damit sie nicht von dilettantischen Kräften in Angriff genommen werden müssen. Wir brauchen eine allgemeine gründliche politische und soziale Schulung als Vorbereitung für die Erfüllung der staatsbürgerlichen Pflichten (übrigens nicht nur für die Frauen, sondern für das ganze deutsche Volk, das ja erschreckend unreif in die demokratische Staatsform hineingeschleudert worden ist), und spezielle Vorbereitungswege für die verschiedenen Posten im Staatsdienst, die nach Frauenarbeit verlangen. (F 105)

Die Umwälzung in den *wirtschaftlichen* Verhältnissen, die viel weibliche Kraft im häuslichen Leben brachlegte, sodann die steigende Bewertung der *individuellen Persönlichkeit* in den philosophischen Richtungen des ausgehenden 18. und beginnenden 19. Jahrhunderts, schließlich die gesteigerte *soziale Verantwortlichkeit* in der zweiten Hälfte des 19. Jahrhunderts und in unserer Zeit führten zu den Pionierkämpfen der Frauenbewegung um Bildungs- und Betätigungsmöglichkeiten, um den vorhandenen mannigfaltigen Gaben und Kräften Raum zu schaffen. Die Mädchen, die heute ihr Abitur machen und zur Universität gehen, wissen meist gar nichts mehr davon, wieviel Versammlungen, Denkschriften, Petitionen an Reichstag und Staatsregierungen nötig waren, bis sich 1901 endlich die deutschen Universitäten den Frauen öffneten. Für die Frauen, die heute etwa zwischen 40 und 60 stehen (erst recht für die älteren, soweit sie berufstätig sind), ist ihr Beruf meist etwas, was sie sich – in der Familie und im öffentlichen Leben – erkämpft haben. Mögen sie darin ihre Befriedigung gefunden haben oder mag er manches in ihnen unausgefüllt gelassen haben, auf alle Fälle sind sie innerlich mit ihm verwachsen. Heute steht es damit anders. Erwerbstätigkeit der Mädchen und meist auch der Frauen ist in allen Schichten zur wirtschaftlichen Notwendigkeit geworden. Mädchen aus gut bürgerlichen und adligen Kreisen wählen, wenn sie sich die Ausbildung leisten können, vielfach einen akademischen Beruf als standesgemäße Versorgung, häufig ohne daß die entsprechende Begabung und Neigung vorhanden ist. Daß in solchen Fällen von wahrer Berufsfreudigkeit oft nicht die Rede sein kann, ist ganz klar (selbst wenn wir von dem Druck der Not, der Überfüllung auf allen Gebieten, den geringen Aussichten auf eine Anstellung absehen).

Es kommen aber noch andere Ursachen hinzu, die es dahin gebracht haben, daß man heute von einer Krisis in der Frauenbewegung und im Frauenberufsleben sprechen kann. In den Anfängen hat man von gegnerischer Seite alle außerhäuslichen Berufe für die Frauen gesperrt halten wollen, ihnen jede Fähigkeit für *männliche* Bildung und Berufsarbeit abgesprochen. Von manchen radikalen Führerinnen ist anderseits die Eröffnung aller Bildungs- und Betätigungsmöglichkeiten verlangt und der Gesichtspunkt der weiblichen Eigenart völlig zurückgestellt worden. Wenn man heute eine Broschüre zur Hand nimmt, die vor 30 Jahren geschrieben wurde, staunt man manchmal über die Unsachlichkeit, ja Naivität der Argumente. Die Revolution brachte die Erfüllung nahezu aller radikalen Forderungen, ohne daß eine ausreichende Vorarbeit geleistet war. Die Erfahrung zeigte dann die Schwierigkeiten, brachte freilich auch positive Ergebnisse. So manche weibliche Natur ist mit dem Beruf in Konflikt geraten, und so ist auch von hier aus eine gewisse Berufsmüdigkeit zu verstehen. Alles in allem haben wir aber heute ein so weitverzweigtes System weiblicher Berufsbildung und Berufsarbeit, daß man sich eine rückläufige Bewegung kaum noch denken kann, wenn auch entsprechende Bestrebungen im Gange sind.

Wir müssen uns nur klar sein, daß wir in den Anfängen einer großen Kulturumwälzung stehen, daß wir die Kinderkrankheiten durchmachen und daß noch wesentliche grundlegende Arbeit zu leisten ist: daß wir tatsächlich auf die Natur des Mannes und der Frau zurückgehen müssen, um die ihrer Eigenart entsprechende Berufsbildung und Berufsformung und -verteilung anzubahnen und so allmählich zur naturgemäßen Eingliederung der Geschlechter in das soziale Ganze zu gelangen. (F 97–99)

Die geschichtliche Epoche, in der in reinlicher Scheidung die häuslichen Pflichten der Frau, der Daseinskampf außer dem Hause dem Mann zufiel, ist nach der Entwicklung der letzten Jahre und Jahrzehnte offenbar als abgeschlossen anzusehen. Wie die Entwicklung sich tatsächlich vollzogen hat, ist heute für uns nicht gar zu schwer zu durchschauen. Die Triumphe der Naturwissenschaft und Technik, die fortschreitend menschliche Arbeit durch Maschinenarbeit ablösten, brachten eine große Entlastung der Frauen und ein Verlangen nach anderweitiger Betätigung der freiwerdenden Kräfte. In der Übergangszeit ist viel ungenützte Kraft in leeren Tändeleien sinnlos verschwendet worden und wertvolles Menschtum dadurch verkümmert. Die Bemühungen um die notwendige Umgestaltung sind nicht ohne schwere Entwicklungskrisen zu Erfolgen gelangt: hervorgerufen zum Teil durch die Leidenschaft der Pioniere der Frauenbewegung sowohl als ihrer Gegner, die beide vielfach mit menschlichen Argumenten kämpften, zum Teil durch den Trägheitswiderstand der kompakten Masse, die ohne sachliche Prüfung am gewohnten Alten festzuhalten pflegt. Schließlich brachte die Revolution einen plötzlichen Umsturz auch auf diesem Gebiet und der wirtschaftliche Niedergang den Zwang zum Erwerbskampf auch für die, denen der Gedanke an berufliche Schulung bisher ferngelegen hatte. So ist der Zustand, in dem wir uns heute befinden, nicht Ergebnis einer normalen Entwicklung und nicht die geeignete Unterlage für eine grundsätzliche Erwägung. (F 38)

Meinungen und Urteile der einzelnen Menschen sind weitgehend bestimmt durch das, was *man* denkt und *man* sagt. Diese Meinungen und Urteile aber sind von stärkstem praktischen Einfluß. Weil *man* bis vor wenigen Jahrzehnten der Ansicht war, *die Frau gehöre ins Haus* und sei zu nichts anderem zu gebrauchen, hat es langwierige und schwere Kämpfe gekostet, bis der zu eng gewordene Wirkungskreis erweitert werden konnte. Wer dies *man* ist, ist sehr schwer zu fassen. Gewiß gehen die Meinungen und Urteile von einzelnen Menschen aus. Aber es ist doch nicht einfach so zu deuten, daß gewisse führende Geister sie prägten und daß sie dann allmählich sich in weitere Kreise verbreiteten. Es ist der Geist der einzelnen seinerseits von ihrer Zeit in bestimmter Weise geformt – und das gilt auch von den führenden Geistern, wenn auch in anderem Sinn als von der Masse –, so daß sie zu einer gewissen Denkweise neigen.

Wir können diese Probleme hier nicht erörtern. Es handelt sich für uns jetzt nur um die Tatsachenfrage, wie man gegenwärtig über die Frau denkt. Wie wir in allen Fragen schwanken und Zwiespältigkeit oder Vielspältigkeit gefunden haben, so ist es auch hier. Es gibt immer noch eine große Menge von Gedankenlosen, die mit abgegriffenen Redewendungen vom *schwachen Geschlecht* oder auch vom *schönen Geschlecht* sich begnügen und von diesem schwachen Geschlecht nicht ohne ein mitleidiges, oft auch zynisches Lächeln reden können, ohne daß sie je tiefere Überlegungen über das Wesen der Frau angestellt oder sich um einen Überblick über tatsächlich vorliegende Frauenleistungen bemüht hätten. Es gibt auch noch vereinzelte Romantiker, deren Frauenideal in zarten Farben auf Goldgrund gemalt ist und die um dieses Ideals willen den Frauen die Berührung mit der rauhen Wirklichkeit nach Möglichkeit ersparen möchten. Diese romantische Auffassung zeigt sich in einer merkwürdig widerspruchsvollen Verbindung mit jener brutalen Einstellung, die die Frau rein biologisch wertet, bei der gegenwärtig stärksten politischen Machtgruppe. Teils aus der romantischen Ideologie heraus, teils mit Rücksicht auf die Rassenzüchtung, schließlich mit Berufung auf die gegenwärtige Wirtschaftslage wird hier eine Durchstreichung der Entwicklung der letzten Jahrzehnte und eine Beschränkung der Frau auf das Wirken in Haus und Familie ins Auge gefaßt. Das geistige Wesen der Frau wird dabei ebensowenig berücksichtigt wie die Gesetze der geschichtlichen Entwicklung. Wie hier durch biologische Mißdeutung und durch Überbewertung der Augenblickskonjunktur dem Geist Gewalt angetan wird, so im entgegengesetzten Lager von der materialistischen Grundauffassung her.

Eine Politik, die in der Frau nur den wirtschaftlichen Faktor und den Machtfaktor im Klassenkampf sieht, kann wohl durch die Lockspeise der radikalen Gleichstellung mit dem Mann auch noch weibliche Anhängerschaft werben, aber das rücksichtslose Hinweggehen über Natur und Bestimmung der Frau stößt doch auf sehr starke Gegenströmungen, gerade auch bei der weiblichen Jugend. (F 102–104)

Was ist denn die große Krankheit unserer Zeit und unseres Volkes? Bei der großen Masse der Menschen eine innere Zerrissenheit, ein völliger Mangel an festen Überzeugungen und festen Grundsätzen, haltloses Getriebenwerden und aus der Unbefriedetheit eines solchen Daseins heraus ein Betäubungsuchen in immer neuen, immer raffinierteren Genüssen; bei denen, die einen ernsthaften Lebensinhalt wollen, aber vielfach ein Untergehen in einer einseitigen Berufsarbeit, die sie vor dem Wirbel des Zeitlebens schützt, diesem Wirbel aber auch nicht Einhalt tun kann. Das Heilmittel gegen die Zeitkrankheit sind ganze Menschen, wie wir sie schilderten: die feststehen auf Ewigkeitsgrund, unbeirrt in ihren Anschauungen und in ihrem Handeln von den wechselnden Modemeinungen, Modetorheiten und Modelastern um sie her. Jeder solche Mensch ist wie eine feste Säule, an die sich viele anklammern können; durch ihn können auch sie wieder festen Boden unter die Füße bekommen. Wenn also Frauen einmal selbst ganze Menschen sind und wenn sie andern dazu verhelfen, es zu werden, so schaffen sie gesunde, lebensfähige Keimzellen, durch die dem ganzen Volkskörper gesunde Lebenskräfte zugeführt werden. (F 212)

Was ist die „weibliche Eigenart"?

Die Frage nach der „weiblichen Eigenart" ist die Frage nach dem Gleichbleibenden, das sich durch alle Bedingtheiten der menschlichen Geschichte, alle Manipulationen, alle Erweiterungen oder Verengungen der Lebenswelt maßgebend durchhält. Gibt es solche Konstanten? In der berühmten Arbeit „Das andere Geschlecht" von Simone de Beauvoir lautet die These, daß es „die Frau" nicht gebe, sondern daß jede Frau zur Frau „gemacht" wurde. Umgekehrt faßt Gertrud von Le Fort in dem nicht minder berühmten Buch „Die ewige Frau" ihre Überlegungen in der kühnen Definition zusammen, das Wesen der Frau sei Hingabe.[1] Führt die Wesensfrage also weiter oder ist sie in sich selbst schon mißgeleitet, wie es Simone de Beauvoir behauptet?

Edith Stein versucht sich der Frage auf einem anderen Weg zu nähern, nämlich phänomenologisch: vom Erscheinungsbild der Frau aus vorsichtige Folgerungen auf ihr „Innen" zu ziehen. Methodenleitend bedient sie sich dabei des alten scholastischen Satzes von der „anima forma corporis", der Seele als der Form des Körpers, und verbindet damit psychologische Erfahrungswerte. Um den Unterschied zum Mann wenigstens ansatzweise zu bestimmen, geht Edith Stein vom Leib zur Seele und zum Geist der Frau weiter. Natürlich ist der Unterschied nicht das Ganze; für Mann wie Frau ist im selben Maße die Gemeinsamkeit des Schöpfungsauftrags entscheidend: die Ebenbildlichkeit, die Gabe der Nachkommenschaft, die Beherrschung der Erde. Davon wird noch die Rede sein, ebenso wie von der Erlösung, die Mann und Frau im tiefsten einander wieder annähert. Dennoch bemüht sich Edith Stein in immer neuen Anläufen, auch die Unterscheidung der Geschlechter deutlich zu machen, um vor diesem Hintergrund die besondere Verwirklichung der Frau besser ins Auge zu fassen.

Grundsätzlich geht sie von der natürlichen Konstante aus, die am eindeutigsten das Frausein bestimmt: Mütterlichkeit als leibliche Fähigkeit der Frau. Von dieser Mitgift werden aber auch das Seelische und Geistige bestimmend durchformt. Im Seelischen sind es Einfühlung in das Schwächere und das Größere, Anpassung, Hilfe zur Entfaltung, Begabung zur Gefährtenschaft: in einem von Edith Stein gern verwendeten Wort das *Gemüt*. Dieses ist die Grundkraft, sich an allem Menschlichen, besonders am Schönen, ebenso aber an der Wahrheit entzünden zu lassen, nämlich an allem, „was aus einer jenseitigen Welt mit geheimnisvoller Macht und Anziehungskraft in dieses Leben hineinwirkt."[2] Hier liegt auch der Grund für die rasche weibliche Begeisterung an allem Edlen oder für edel Gehaltenen, eine Begeisterung, mit der umzugehen und hauszuhalten eine verantwortliche Erziehung lehren muß.[3]

Bei diesen Folgerungen fallen auch einige riskante Sätze, die heute bereits – nach der raschen geschichtlichen Entwicklung der Frauenfrage und -forschung – selbst als zeitbedingt gelten müssen. Dies wohl auch ein Zeichen dafür, daß nicht aus einem einzigen (leiblichen) Prinzip, der Mütterlichkeit, bereits zu Weitgehendes geschlossen werden darf. Etwa eine These von 1932: „Wenn bahnbrechende Leistungen von Frauen verhältnismäßig selten sind und das in der weiblichen Natur begründet sein mag, so kann doch die Einfühlungs- und Anpassungsgabe der Frau sie in hohem Maße dazu befähigen, am Schaffen anderer verstehend und anregend als Hilfsarbeiterin, Interpretin, Lehrerin Anteil zu haben."[4] Eine ähnlich ungesicherte Folgerung lautet, rein aus der Leiblichkeit der Frau abgeleitet: „Der Leib der Frau ist dazu gebildet, mit einem andern ‚ein Fleisch zu sein' und neues Menschenleben in sich zu nähren. Dem entspricht es, daß die Seele der Frau darauf angelegt ist, einem Haupt untertan zu sein in dienstbereitem Gehorsam und zugleich seine feste Stütze zu sein, wie ein wohldisziplinierter Körper dem Geist, der ihn beseelt, gefügiges Werkzeug ist, aber auch eine Quelle der Kraft für ihn ist und ihm seine feste Stellung in der äußeren Welt gibt."[5] Hier ist Edith Stein in eine Engführung des Gedankens geraten, die sie selbst andernorts zu vermeiden strebt. Biologische und historische Vorgabe wird als Norm und Wesensbestand genommen – ein Fehlschluß, der übrigens bis in die unmittelbare Gegenwart hinein von vielen Theoretikern weiblicher Anthropologie vollzogen wurde und keineswegs überwunden ist.

Auch der Versuch, die spezifisch weibliche Form von Geist auszudrücken, gerät schwierig: Sie bestimmt ihn als „Verlangen, Liebe zu geben und zu empfangen, und darin (als) eine Sehnsucht, aus der Enge ihres tatsächlichen gegenwärtigen Daseins zu höherem Sein und Wirken emporgehoben zu werden"[6]. Der aktiv-passive Prozeß dieser Geistigkeit besteht ebenso sehr im eigenen Reifen wie darin, „zugleich in den andern das Reifen zu ihrer Vollkommenheit anzuregen und zu fördern (...), tiefstes weibliches Sehnen, das in den mannigfaltigsten Verkleidungen, auch Entstellungen und Entartungen, auftreten kann. Es entspricht (...) der ewigen Bestimmung der Frau."[7]

Daß diese Festlegungen Edith Stein selbst zu allgemein, ja man dürfte sagen zu abstrakt erscheinen, geht daraus hervor, daß sie noch weit mehr Beobachtungen durch Anthropologie und Psychologie fordert, mit denen sie nicht vom Fach her vertraut war. Nicht unwichtig ist der Zug, daß es ihr in ihrer eigenen Disziplin, der Philosophie, letzten Endes schwer fällt, die beiden Spezies Mann und Frau tatsächlich gedanklich voneinander zu trennen. Was in der Biologie leicht fällt, wird in der Erfassung von Seele und Geist immer weniger griffig, eher sogar künstlich. Im Grunde stellt Edith Stein daher meist Fragen oder methodische Forderungen auf[8], etwa die wichtige Forderung, man müsse in die Seinslehre auch Erkenntnisse der Vererbung einbeziehen.

Edith Stein hat den – wohl auch ihr selbst zu engen – Rahmen der ontologisch-philosophischen Wesensbestimmung der Frau immer dort verlassen, wo sie in die wirkliche Geschichte der Frauen eindringt, oder auch dort, wo sie weit ausblickende Ansätze einer neuen Bildungslehre für Frauen entwickelt. In der Regel wird sie dann die Veränderung dieser (zu) allgemeinen Vorgaben durch die lebendige Person betonen. Jede Person wird in ihrer Eigenart jeweils neue, ihr selbst gemäße Ausprägungen des Vorgegebenen vollziehen, ja es ist die Kunst (und das drohende Mißlingen), dies zu lernen. Durch die Lebendigkeit des Individuellen kommt in das sonst viel zu allgemeine Grundmuster die eigentliche Lebensspannung, die Notwendigkeit, sich selbst wie den anderen auch das Unverwechselbare, Eigene zuzugestehen, ja darauf ausdrücklich die Anstrengung zu richten.

So findet Edith Stein wohl die stärksten Sätze zur Eigenart der Frau, wenn sie diese dem Menschlichen (Personalen, Freien, mit sich Identischen) nachordnet. Zu Ibsens Nora fällt die Bemerkung: „Sie weiß, daß sie erst ein Mensch werden muß, ehe sie es wieder versuchen könnte, Gattin und Mutter zu sein."[9] Oder die „nebenbei" formulierte Einsicht, die die phänomenologische „Wesensbestimmung" aufhebt: „Menschsein ist das Grundlegende, Frausein das Sekundäre."[10]

Mit welcher Schwierigkeit die Bestimmung des „spezifisch Weiblichen" verbunden ist, mag aus einem bisher unveröffentlichen Brief[11] von Hedwig Conrad-Martius, der Herzensfreundin und Taufpatin Edith Steins, hervorgehen, die selbst eine außerordentliche Phänomenologin war und das Problemfeld in seiner Verworrenheit so aufrollt: „Ihre Frage (= nach der weiblichen Eigenart) ist ja nicht ganz

38

leicht und einfach zu beantworten. An dem von Ihnen erwähnten Zwitter sieht man, daß der geschlechtliche Typus sogar schon im Biologischen durcheinandergehen kann. Erst recht kann das natürlich in rein seelischen oder auch geistigen Bereichen der Fall sein. Eine durchgehende absolute weibliche oder männliche Artung wird es empirisch kaum je geben. Ich bin der Meinung, daß in jedem Menschen, so wie die Potenzen für alle Rassen (...) auch die Potenzen für beide Geschlechtstypen darinliegen. Natürlich sind bei einem Menschen, der nun einmal biologisch ein Weib oder ein Mann geworden ist, auch die seelischen und geistigen Bezirke normalerweise und im großen und ganzen „ männlich" oder „weiblich" ausgeprägt. Daneben gibt es Männer mit einer weiblichen Gefühlsseele, Frauen mit einem männlichen Verstand oder auch Frauen mit männlicher Willensbestimmtheit usw. Um das im Einzelfall und grundsätzlich zu klären, bedürfte es allerdings einer phänomenologischen Wesensbestimmung dessen, was im allgemeinsten Sinne „männlich" und „weiblich" genannt werden kann. Daran fehlt es überall. Man kann ja auch von einem typisch männlichen Kunstwerk oder von einer typisch weiblichen Kulturära sprechen. Es wäre dies ein Thema für eine große phänomenologische Wesensuntersuchung."

Aus diesen klugen Bemerkungen wird einmal mehr deutlich, daß eine wirkliche Bestimmung des Weiblichen, die der Wirklichkeit gerecht würde, noch lange aussteht, und daß gerade hier die differenzierte Arbeit der Frauenforschung in aller Breite eine Aufgabe der Zukunft ist. Zur Problemschärfung dienen jedoch die Gedanken Edith Steins ohne Zweifel, als Zwischenstufe auf einem längst noch nicht ausgeschrittenen Weg.

Was die Frage der Erforschung der weiblichen Eigenart betrifft, so ist darüber aus den letzten Jahren eine ausgebrei-
tete Literatur vorhanden. (...) Es gibt vielleicht wenige
Gebiete, über die mit so viel naivem Selbstvertrauen und so
unbesorgt um die Methode geredet und geschrieben worden ist, wie dieses. Und so scheint mir die ernsthafte, wissenschaftliche Bearbeitung noch in den ersten Anfängen zu
stehen.   (F 110)

Die Frage nach einer Wesensverschiedenheit der Geschlechter ist prinzipiell nicht durch eine erfahrungswis-
senschaftliche (physiologische oder psychologische) Behandlung zu lösen. Sie gehört hinein in den Zusammenhang einer *philosophischen Anthropologie,* die mit den
spezifischen Erkenntnismitteln der Philosophie das Wesen
des Menschen herauszustellen hat und dadurch die Möglichkeit gewinnt, Sinn und Methode der Erfahrungswissenschaften abzustecken, die sich mit dem Menschen beschäftigen. Die radikale philosophische Betrachtung stößt hier
wie überall auf ihre eigenen Grenzen: es begegnen uns Fragen, die weder auf erfahrungswissenschaftlichem noch auf
philosophischem Wege lösbar sind. (Dahin gehören die Fragen nach dem Ursprung sowohl des einzelnen Menschen
als der Menschheit.) Was die natürlichen Möglichkeiten
des menschlichen Verstandes übersteigt, das kann ihm das
übernatürliche Licht der Offenbarung enthüllen. Sie ist
dem Menschen eigens zu dem Zwecke gegeben, damit er
über seinen Ursprung und sein Ziel sowie über die Wege,
die ihn zum Ziele führen können, nicht in Ungewißheit
sei. So verlangt die philosophische Anthropologie von sich
aus nach Ergänzung durch eine *theologische Anthropologie,*
d. h. eine Herausstellung des Menschenbildes, das in unserer Glaubenslehre enthalten ist.   (Th BF 136)

40

Ich bin der Überzeugung, daß die Spezies *Mensch* sich als Doppelspezies *Mann* und *Frau* entfaltet, daß das Wesen des Menschen, an dem kein Zug hier und dort fehlen kann, auf zweifache Weise zur Ausprägung kommt, und daß der ganze Wesensbau die spezifische Prägung zeigt. Es ist nicht nur der Körper verschieden gebaut, es sind nicht nur einzelne physiologische Funktionen verschieden, sondern das ganze Leibesleben ist ein anderes, das Verhältnis von Seele und Leib ist ein anderes und innerhalb des Seelischen das Verhältnis von Geist und Sinnlichkeit, ebenso das Verhältnis der geistigen Kräfte zueinander. Der weiblichen Spezies entspricht Einheit und Geschlossenheit der gesamten leiblich-seelischen Persönlichkeit, harmonische Entfaltung der Kräfte, der männlichen Spezies Steigerung einzelner Kräfte zu Höchstleistungen.   [F 138]

Es leuchtet wohl ein, daß die Frage nach der Spezies *Frau* die Prinzipienfrage aller Frauenfragen ist. Gibt es eine solche Spezies, dann wird kein Wechsel der Lebensbedingungen, der wirtschaftlichen und kulturellen Verhältnisse wie der eigenen Betätigung, daran etwas ändern können. Gibt es keine solche Spezies, sind *Mann* und *Frau* nicht als Spezies, sondern nur als Typen in dem von uns abgegrenzten Sinn anzusehen, dann ist unter gewissen Bedingungen die Überführung des einen Typus in den anderen möglich. Das ist nicht *so* absurd, wie es im ersten Augenblick erscheinen mag. Die Auffassung ist einmal in der Form vertreten worden, daß man die körperlichen Unterschiede als feste gelten ließ, die seelischen aber als unbegrenzt variabel ansah, aber selbst gegen die Unaufhebbarkeit der körperlichen Unterschiede ließen sich gewisse Tatsachen, Zwitter- und Übergangsformen, anführen. (...) Die Untersuchung des Wesens der Frau hat ihren logischen Ort in einer *philosophischen Anthropologie*. Zur Lehre vom Menschen gehört die Klärung des Sinnes der geschlechtlichen Differenzierung, die Herausstellung des Inhaltes der Spezies, ferner die Stellung der Spezies im Aufbau des menschlichen Individuums, des Verhältnisses der Typen zu Spezies und Individuum und der Bedingungen der Typenbildungen. (F 121–122)

Wir sahen in der Natur der Frau ein Dreifaches vorgezeichnet: die Entfaltung ihres Menschentums, ihres Frauentums, ihrer Individualität. Das sind keine getrennten Ziele, wie die Natur des konkreten menschlichen Individuums keine dreigeteilte ist, sondern *eine*: die menschliche Natur in spezifisch weiblicher und individueller Ausprägung. (F 143)

Die natürliche Bestimmung, die Gott dem Menschen gegeben hat, ist eine dreifache: durch die Entfaltung seiner Kräfte Gottes Bild in sich auszuprägen, Nachkommenschaft hervorzubringen und die Erde zu beherrschen. Dazu kommt das übernatürliche Ziel: die ewige Anschauung Gottes, die als Lohn für ein Leben aus dem Glauben und im persönlichen Anschluß an den Erlöser verheißen ist. Die natürliche wie die übernatürliche Bestimmung ist gemeinsam für Mann und Frau. Aber es gibt innerhalb der gemeinsamen Bestimmung eine Differenzierung der Aufgaben, der die verschiedene Natur der Geschlechter angepaßt ist. Der primäre Beruf des Mannes ist die Herrschaft über die Erde, die Frau ist ihm darin als Gehilfin zur Seite gestellt. Der primäre Beruf der Frau ist Erzeugung und Erziehung der Nachkommenschaft, der Mann ist ihr dafür als Beschützer gegeben. Dem entspricht es, daß dieselben Gaben bei beiden auftreten, aber in verschiedenem Maß und Verhältnis. Beim Mann vornehmlich die Gaben, die für Kampf, Eroberung und Beherrschung erforderlich sind: die Körperkraft zu äußerer Besitznahme, Verstand zur erkenntnismäßigen

Durchdringung der Welt, Willens- und Tatkraft zu schöpferischem Gestalten. Bei der Frau die Fähigkeiten, um Werdendes und Wachsendes zu bewahren, zu behüten und in der Entfaltung zu fördern: darum die Gabe, körperlich eng gebunden zu leben und in Ruhe Kräfte zu sammeln, andererseits Schmerzen zu ertragen, zu entbehren, sich anzupassen; seelisch die Einstellung auf das Konkrete, Individuelle und Persönliche, die Fähigkeit, es in seiner Eigenart zu erfassen und sich ihr anzupassen, das Verlangen, ihr zur Entfaltung zu verhelfen. In der Anpassungsfähigkeit ist die Ausstattung mit den gleichen Gaben, die dem Mann eigen sind, und die Möglichkeit, die gleiche Arbeit wie er zu verrichten – mit ihm gemeinsam oder an seiner Stelle – eingeschlossen. (F 58–59)

Nur wem hitzige Kampfesleidenschaft die Augen geblendet hat, der kann die handgreifliche Tatsache leugnen, daß Leib und Seele der Frau zu besonderem Zweck gebildet sind. Und das klare und unumstößliche Wort der Schrift spricht aus, was von Anbeginn der Welt die tägliche Erfahrung lehrt: zur Gefährtin des Mannes und zur Menschenmutter ist die Frau bestimmt. Dazu ist ihr Leib ausgerüstet, dem entspricht aber auch ihre *seelische Eigenart*. Daß es eine solche seelische Eigenart gibt, ist wiederum augenscheinliche Erfahrungstatsache; es folgt aber auch aus dem *Thomas*grundsatz der *anima forma corporis*. Wo die Kräfte so grundverschieden geartet sind, da muß – bei aller Gemeinsamkeit der Menschennatur – auch ein verschiedener Seelentypus vorhanden sein. Nur ganz kurz wollen wir die typische weibliche Seelenhaltung skizzieren, die uns im Grunde allen vertraut ist. Die Einstellung der Frau geht auf das *Lebendig-Persönliche* und geht auf das *Ganze*. Hegen, hüten und bewahren, nähren und im Wachstum fördern: das ist ihr natürliches, echt mütterliches Verlangen. Das

Tote, die *Sache* interessiert sie in erster Linie, soweit es dem Lebendig-Persönlichen dient; nicht so sehr um seiner selbst willen. Damit hängt das andere zusammen: *Abstraktion in jedem Sinn* liegt ihr von Natur aus fern. Das Lebendig-Persönliche, dem ihre Sorge gilt, ist ein konkretes Ganzes und will als Ganzes gehütet und gefördert sein, nicht ein Teil auf Kosten des oder der andern: nicht der Geist auf Kosten des Körpers oder umgekehrt, auch nicht eine seelische Fähigkeit auf Kosten der andern. Sie erträgt das weder an sich noch an andern. Und dieser praktischen Einstellung entspricht die theoretische: ihre natürliche Erkenntnisweise ist nicht so sehr die begrifflich-zergliedernde als die auf das Konkrete gehende, anschauende und erfühlende. Diese natürliche Ausrüstung befähigt die Frau, ihren eigenen Kindern Pflegerin und Erzieherin zu sein, aber ihre Grundeinstellung gilt nicht nur diesen, so begegnet sie auch ihrem Mann und allen Wesen, die in ihren Umkreis treten.

Zur mütterlichen Veranlagung gesellt sich die als *Gefährtin*. Das Leben eines andern Menschen zu teilen, und zwar an *allem* Anteil zu nehmen, was ihn betrifft, am Größten und Kleinsten, an Freuden und Leiden, aber auch an Arbeiten und Problemen, ist ihre Gabe und ihr Glück. Der Mann geht auf in „seiner Sache" und erwartet von andern dafür Interesse und Dienstbereitschaft; es wird ihm im allgemeinen schwer, sich auf andere Menschen und auf anderer Leute Sachen einzustellen. Der Frau dagegen ist es natürlich, und sie vermag einfühlend und nachverstehend in Sachgebiete einzudringen, die ihr an sich fernliegen und um die sie sich nie kümmern würde, wenn nicht ein persönliches Interesse sie damit in Berührung brächte. Diese Gabe hängt mit der mütterlichen Veranlagung eng zusammen. Die lebendige Anteilnahme weckt die Kräfte und steigert die Leistungen dessen, dem sie zuteil wird. Sie ist eine Pflege- und Erziehungsfunktion, also eine echt mütterliche, deren noch und gerade der *reife* Mensch bedarf, und wird

auch den eigenen Kindern gegenüber, je mehr sie heranwachsen, in Anwendung kommen und die niederen Funktionen ablösen. (F3–4)

In den Grundzügen ist der Bau der Seele hier und dort der-
selbe: die Seele eingesenkt in einen Leib, von dessen Kraft
und Gesundheit ihre eigene Kraft und Gesundheit – wenn
auch nicht allein und schlechthin – abhängt, der andererseits durch sie Sein sein *als* Leib – Leben, Bewegung, Form
und Gestalt und geistigen Sinn – bekommt; auf dem
Grunde der Sinnlichkeit, die ebensosehr leibliches wie see-
lisches Sein ist, ein geistiges, das als Verstandestätigkeit sich
erkennend eine Welt erschließt, als Wille schaffend und ge-
staltend in diese Welt eingreift, als Gemüt diese Welt innerlich entgegennimmt und sich damit auseinandersetzt. Aber
Maß und Verhältnis dieser Kräfte ist bei den Individuen
sehr verschieden und ist auch bei Mann und Frau spezifisch
verschieden.

Ich möchte meinen, daß schon das Verhältnis von Seele
und Leib nicht völlig gleich ist, daß die Bindung an den Leib
natürlicherweise bei der Frau durchschnittlich inniger ist.
(Ich möchte das „natürlicherweise" unterstreichen, denn es
gibt die Möglichkeit einer weitgehenden Emanzipation der
Seele vom Leib, die nun ihrerseits merkwürdigerweise bei
der Frau sich durchschnittlich leichter zu vollziehen
scheint.) Es scheint mir, daß die Frauenseele stärker in allen
Teilen des Leibes lebt und gegenwärtig ist und von dem,
was ihm geschieht, innerlich betroffen wird, während beim
Mann der Leib stärker den Charakter des Werkzeugs hat,
das ihm bei seinem Schaffen dient, was eine gewisse Fern-
stellung mit sich bringt. Das hängt wohl zusammen mit der
Bestimmung der Frau zur Mutterschaft. Die Aufgabe, ein
werdendes und wachsendes Lebewesen in sich aufzunehmen, zu bergen und zu nähren, bedingt eine gewisse Be-

schließung in sich selbst, und der geheimnisvolle Prozeß der Bildung eines neuen Geschöpfs im mütterlichen Organismus ist eine so intime Einheit von Seelischem und Leiblichem, daß man wohl versteht, daß diese Einheit zum Gepräge der gesamten weiblichen Natur gehört. Es ist damit aber eine gewisse Gefahr verbunden. Wenn die richtige, naturgemäße Ordnung zwischen Seele und Leib bestehen soll (d.h. die Ordnung, wie sie der unverdorbenen Natur entspricht), dann muß ihm die nötige Nahrung, Pflege und Übung zuteil werden, die ein reibungsloses Funktionieren des Organismus bedingt. Sobald ihm *mehr* gewährt wird, und es entspricht seiner *verderbten Natur*, mehr zu verlangen, geschieht es auf Kosten der Seele, ihres geistigen Seins; statt ihn zu beherrschen und zu durchgeistigen, versinkt sie in ihm, und er verliert entsprechend von seinem Charakter als Menschenleib. Je intimer das Verhältnis von Seele und Leib ist, desto größer wird die Gefahr des Versinkens sein (allerdings auf der andern Seite auch die Möglichkeit, ihn von der Seele her zu durchdringen).

Wenn wir das Verhältnis der geistigen Kräfte zueinander erwägen, so fordern sie einander gegenseitig, und keine kann ohne die andern bestehen. Eine gewisse verstandesmäßige Erkenntnis von Gegenständen ist erforderlich, um sie mit dem Gemüt aufzunehmen und sich innerlich damit auseinanderzusetzen; die Bewegungen des Gemüts sind die Triebfedern des Willens; andererseits ist es Sache des Willens, Verstandestätigkeit und Gemütsleben zu regulieren. Aber die Kräfte sind keineswegs gleichmäßig verteilt und entfaltet. Des Mannes Bestreben geht vornehmlich darauf, sich in Erkenntnis und schaffender Tat auszuwirken. Die Stärke der Frau liegt im Gemütsleben. Das hängt mit ihrer Einstellung auf das personale Sein selbst zusammen. Denn die Bewegungen und Stimmungen des Gemüts sind das, worin die Seele ihres eigenen Seins, dessen, was sie ist und wie sie ist, inne wird, womit sie auch die Bedeutung fremden Seins für das ihre sowie auch die spezifische Qualität und den daran haftenden Wert der Dinge außer ihr, fremder Personen und nicht-personaler Gebilde, erfaßt. Das Organ für die Erfassung des Seienden in seiner Ganzheit und in seiner Eigenart ist in das Zentrum ihres Seins gesetzt und bedingt jenes Streben, sich zum Ganzen zu entfalten und anderen zu einer entsprechenden Entfaltung zu verhelfen, die wir früher als charakteristisch für die Frauenseele gefunden haben. Dadurch ist sie besser als der Mann von Natur aus gegen einseitige Betätigung und Entfaltung ihrer Kräfte geschützt, andererseits weniger geeignet für Höchstleistungen auf einem Sachgebiet, die immer mit einseitiger Konzentration aller seelischen Kraft erkauft sind, und stärker der Gefahr der Zersplitterung ausgesetzt. Sodann ist auch *die* Einseitigkeit, zu der sie von Natur aus neigt, eine besonders gefährliche: die einseitige Ausbildung des Gemüts.

Wir haben dem Gemüt eine hohe Bedeutung im Gesamtorganismus des seelischen Seins zuerkannt. Es hat eine wesentliche Erkenntnisfunktion, es ist die Zentralstelle, an der die Entgegennahme des Seienden umschlägt in persönliche Stellungnahme und Tat. Aber es kann seine Aufgabe nicht lösen ohne Mitwirkung des Verstandes und Willens. Es kommt nicht ohne die Vorarbeit des Verstandes zur Erkenntnisleistung. Der Verstand ist das Licht, das ihm den Weg erleuchtet, und ohne dieses Licht schwankt es hierhin und dorthin; ja wenn es das Übergewicht über den Verstand hat, kann es dessen Licht trüben, zu einer Verzerrung des gesamten Weltbildes sowie einzelner Dinge und Ereignisse führen und den Willen in eine irrige Praxis hineintreiben. Seine eigenen Bewegungen bedürfen der Kontrolle des Verstandes und der Leitung durch den Willen. Dem Willen kommt zwar keine absolute Macht zu, Gemütsbewegungen hervorzurufen oder zu unterdrücken; aber es gehört doch zu seiner Freiheit, aufsteigende Regungen sich auswirken zu lassen oder zu hemmen. Wo Verstandesschulung und

Willenszucht fehlen, da wird das Gemütsleben ein Treiben ohne feste Richtung. Und da es irgendwelcher Anregungen für seine Bewegung bedarf, verfällt es der Leitung der Sinnlichkeit, wenn die Leitung durch die höheren Geisteskräfte fortfällt. So kommt es zum Herabsinken des seelischen Lebens ins Sinnlich-Animalische, das durch die starke Bindung an den Leib noch gefördert wird. (F 53–55)

Diese Darstellung der natürlichen weiblichen Eigenart enthielt zunächst keinerlei Wertbeurteilung. Daß sie, rein entfaltet, einen hohen *vitalen Wert* einschließt, leuchtet ohne weiteres ein. Aber sowohl dafür als für den besonders zu erwägenden *ethischen Wert* kommt es darauf an, daß die weibliche Natur rein entfaltet sei, und das ist keinesfalls selbstverständlich, man kann sogar sagen, daß es nur unter ganz besonderen Umständen der Fall ist. Durch die Erbsünde haftet ja, wie der gesamten menschlichen Natur, so auch der weiblichen Anlage ein Makel an, der die reine Entfaltung hemmt und der, wofern ihm nicht entgegengewirkt wird, zu einer typischen Entartung führt. Die *persönliche Einstellung* tritt gewöhnlich in einer ungesunden Steigerung auf: einmal als Neigung, sich selbst und andere übermäßig mit der eigenen Person zu beschäftigen, als Eitelkeit, Verlangen nach Lob und Anerkennung, ungehemmtes Mitteilungsbedürfnis; andererseits als übermäßiges Interesse für andere, als Neugier, Klatschsucht, indiskretes Eindringenwollen in das intime Leben anderer Menschen. Die *Einstellung auf das Ganze* führt leicht zur Zersplitterung der Kräfte, zur Abneigung gegen die nötige sachliche Disziplinierung der einzelnen Anlagen, zum oberflächlichen Naschen auf allen Gebieten; und im Verhältnis zu andern zu der Neigung, sie ganz mit Beschlag zu belegen, weit über das Maß hinaus, das durch die mütterlichen Funktionen bedingt ist. Die teilnehmende Gefährtin wird zum aufdringlichen Störenfried, der kein stilles, verschwiegenes Ausreifen duldet und darum nicht Entwicklung fördert, sondern hemmt und unterbindet; an Stelle des freudigen Dienens tritt das Herrschenwollen. Wie viele unglückliche Ehen, wieviel Entfremdung zwischen Müttern und erwachsenen Kindern oder auch schon heranwachsenden Kindern sind auf diese Entartung zurückzuführen! (F 4–5)

Die spezifische Entartung des Mannes ist die zu brutalem Herrentum (allen Geschöpfen und speziell der Frau gegenüber) und zur Versklavung durch die Arbeit bis zur Verkümmerung seines Menschentums. Die spezifische Entartung der Frau ist die sklavische Bindung an den Mann und das Versinken des Geistes im leiblich-sinnlichen Leben. Das kann sich in verschiedenen Typen ausprägen: am offenkundigsten in dem von *E. Croner* als *erotisch* bezeichneten (besser wäre es, ihn den *sexuellen* zu nennen). Er zeigt sich in der Fesselung des Interesses und der Phantasie durch das sexuelle Gebiet oft schon in frühen Jahren, ebenfalls vom Beginn der Reifezeit an. In der Abwandlung des gesamten Verhaltens in Gegenwart von Personen des anderen Geschlechts. In starken und ungehemmten Trieben, die solche Mädchen leicht zur Beute der Verführung und schließlich der Prostitution werden lassen. Beim *romantischen Typ* erscheint das Ganze ins Geistige und Ideale verschoben, als Hang zum Träumen und Schwärmen, zum Erdichten von Phantasie-Helden, Phantasie-Welten und einem Leben mit ihnen und in ihnen, das die Urteilsfähigkeit und Tüchtigkeit für das wirkliche Leben lähmt. Wir haben sodann den Typus der *empörten Sklavin* in der Emanzipierten, die nicht nur die sklavische Bindung, sondern auch die gottgewollte Unterordnung ablehnt und in Kampfstellung gegen das männliche Geschlecht tritt, in dieser Stellung aber auch das Vorhandensein der Bindung verrät. Es ließen sich noch an

49

dere Typen anreihen. In (…) dem nüchtern-praktischen und dem sachlich-intellektuellen tritt offenbar diese Form der Entartung zurück. Es ließe sich vielleicht zeigen, daß diesem Vorzug auch eine Schwäche, d. h. eine geringe Ausprägung der integren weiblichen Natur entspricht.   (F 141)

Die persönliche Einstellung ist darum sachlich berechtigt und wertvoll, weil in der Tat die Person höher steht als alle sachlichen Werte. Alle Wahrheit will von Personen erkannt, alle Schönheit von Personen geschaut und gemessen sein. Alle sachlichen Werte sind in diesem Sinne für Personen da. Und hinter allem, was in der Welt an Wertvollem zu finden ist, steht die *Person des Schöpfers*, der alle erdenklichen Werte als ihr Urbild in sich schließt und überragt. Unter den Geschöpfen aber ist das höchste das, was gerade in der Personalität nach seinem Bilde geschaffen ist, und das ist – im Umkreis unserer gewöhnlichen Erfahrung – der Mensch. Und zwar *der* Mensch, in dem das Bild Gottes in möglichster Reinheit entfaltet ist, in dem die Gaben, die der Schöpfer in ihn gelegt hat, nicht verkümmern, sondern aufblühen, und in dem die Kräfte in der Ordnung stehen, die Gottes Bild entspricht und von Gott gewollt ist: der Wille von der Erkenntnis geleitet und die niederen Kräfte von Erkenntnis und Willen gezügelt. Das ist der *ganze Mensch*, von dem wir sprachen.

Zu solchem ganzen Menschentum ist natürlich jeder Mensch berufen, und in jedem lebt die Sehnsucht danach.

(F 208)

Wer eine Sache gründlich beherrscht, der steht dem ganzen Menschentum näher, als wer nirgends Boden unter den Füßen hat. Der großen Masse der Menschen gegenüber stellen die eine Auswahl dar, die eine gründliche sachliche Bildung haben, und in dieser Auswahl sind sicherlich mehr Männer als Frauen. Eine sehr viel kleinere Auswahl kommt dem Ziel des vollen Menschentums nahe. Und in dieser *kleinen Herde* sind, scheint es, mehr Frauen als Männer. (F 209–210)

Es ist nötig, den Geist so stark wie möglich zu betonen, weil wir vom Triebleben sonst überschwemmt werden. Aber auch den Trieben ihre Bedeutung lassen. Die Menschen stecken drin. Nach Thomas ist in der menschlichen Natur beides ganz stark und innig miteinander verwachsen, wie tief das ganze Geistesleben aufgebaut auf der körperlichen, vitalen Grundlage! Wir können nichts erfahren ohne beides! Im Gemüts- und Willensleben ist das Sinnliche als Grundlage da. Wir haben keine Wert- und Güterlehre, so wie die Erkenntnislehre aufgebaut ist. Die Geistgestalt baut sich auf der vitalen Grundlage auf. So geistig wie möglich soll sie werden, aber (man muß) rechnen mit der vitalen Grundlage. Wie können wir den Eros in die Caritas erlösen?

(D 11)

Wie jede Frau an der allgemeinen Menschennatur teilhat, so ist jede eine individuelle Person mit ihrer Sonderart und ihren besonderen Gaben. Allgemeine Menschennatur und Individualität stehen nicht als gesonderte Bestandteile nebeneinander im einzelnen Menschen, sondern jeder zeigt die Menschennatur in einer individuellen Ausprägung. Die Individualität ist so gut gottgegeben wie die allgemeine Menschennatur und ihre reine Entfaltung ebenso sehr Bestimmung des Menschen. (GL)

Mann und Frau haben dieselben menschlichen Grundzüge in ihrem Wesen, von denen nicht nur bei den Geschlechtern, sondern auch bei den Individuen jeweils diese oder jene vorwiegen. Darum können Frauen starke Annäherung an die männliche Art zeigen und umgekehrt. Das kann mit der individuellen Bestimmung zusammenhängen. Wenn für das Geschlecht als Ganzes Ehe und Mutterschaft erster Beruf sind, so sind sie es doch nicht für jedes Individuum. Es können Frauen zu besonderen Kulturleistungen berufen und ihre Anlagen dem angepaßt sein. (F 139)

Mutterschaft, leiblich und geistig

„Daß die menschliche Seele eingesenkt ist in einen körperlichen Leib (...), das ist kein gleichgültiges Faktum."[1]

Dieser Grundsatz gilt für Frau und Mann gleichermaßen. Weil er gilt, ist die natürliche Bindung der Frau an ihre Leiblichkeit aber prägender: sie erfährt nicht nur ihre Leibvorgänge regelmäßiger, in verläßlichem Rhythmus, sie ist auch unvergleichlich zur Mutterschaft befähigt, dazu ganzheitlich gestaltet. „Die Aufgabe, ein werdendes und wachsendes Lebewesen in sich aufzunehmen, zu bergen und zu nähren, bedingt eine gewisse Beschließung in sich selbst, und der geheimnisvolle Prozeß der Bildung eines neuen Geschöpfs im mütterlichen Organismus ist eine so intime Einheit von Seelischem und Leiblichem, daß man wohl versteht, daß diese Einheit zum Gepräge der gesamten weiblichen Natur gehört."[2]

Edith Stein vollzieht in der Erfassung der Mutterschaft eine Spannung nach: die Spannung zwischen Natur (in noch engerem Sinne: Biologie) und Person. Person meint die verantwortliche, über sich selbst verfügende Kraft, die *weiß*, warum sie sich bindet, die *will*, daß sie aus Hingabe lebt – die nicht nur Naturgegebenes, selbst unerweckt, an sich ablaufen läßt. Mutterschaft kann diese personale Klarheit durchaus verfehlen oder nie dazu angeleitet worden sein. In Sigrid Undsets Roman „Olav Audunsohn" ist dieser Typus des Naturhaft-Animalischen durch Ingunn dargestellt; Edith Stein nennt sie „dumpfe, tierische Anhänglichkeit", „Ackerland, durch das niemals der Pflug ging"[3]. Die Natur allein, die Leibseite, kann nur als Mitgift, nicht als bereits gestalteter Vollbesitz betrachtet werden.

Es gibt noch eine andere Verfehlung der Mutterschaft: nicht die triebhaft erlittene, sondern die in sich selber gespaltene. Jene nämlich, die die Spannung zwischen Natur und Person nicht halten kann, sondern sich der „natürlich" zuwachsenden Aufgabe, den Kindern, verweigert, *weil* sie als Zufallserzeugnisse empfunden werden, die „mit mir nichts zu tun haben". Hier ist das „Ich" der Frau mangelhaft entwickelt, aus fremder und eigener Vernachlässigung; nie nach eigener Wahl, eigener Freiheit gefragt, kann sie sich auch nicht aus Freiheit öffnen. Selbst unreif (gehalten), kann sie ihre Kinder nicht reifen lassen: Mutterschaft als Fessel der ichschwachen Frau. Edith Stein kommentiert dies an Ibsens Nora: „Sie war die Lieblingspuppe ihres Vaters und ist nun ihres Mannes Lieblingspuppe, wie ihre Kinder ihre Puppen sind."[4]

Mutterschaft bedarf zutiefst der ichstarken Frau – so sehr, daß für Edith Stein nicht die leibliche, sondern die seelische Mütterlichkeit im Zweifelsfalle den Vorrang hat. Das meint nämlich eine Hingabe, die nicht zur Preisgabe verbogen ist, weil sie nur gezwungen tut, was sie aus Selbstbesitz heraus tun sollte. Solche Preisgabe können Natur und Konvention von der unwillig Mutter gewordenen Frau fordern; soll sie wirklich Mutter werden, so gehört dazu ihre eigene Freiheit. Und deren bestätigendes Zeichen, an dem sie unverwechselbar erkannt wird, ist die Hingabe. Hingabe ist an Freiheit gebunden und umgekehrt.

Vor diesem Hintergrund kann Edith Stein das Paradox der Jungfrau-Mutter entfalten, was sie häufig tut. Dieses altbekannte Motiv wird wohl nur dann richtig auf die moderne Frau übertragen, wenn man – wie Edith Stein an manchen Stellen – unter der Jungfrau diejenige versteht, die die Freiheit lebt und aus Freiheit Dienst übernimmt. Dann erhält das Paradox von der virgo-mater nicht nur Sinn für die *eine* Frau Maria, sondern für die Frauen, die den Spannungsbogen von Natur und Freiheit begriffen haben und leben wollen. Deswegen ist auch die Ordensfrau mütterlich, auch die unverheiratete Frau oder jene, die nie geboren hat; wenn sie die ihnen einleuchtenden, ihren eigenen Kräften antwortenden Aufgaben übernehmen, vertreten sie „geistige Mutterschaft": Hingabe aus Eigensein. Edith Stein versucht, hierin auch die aus Not und gegen ihren Willen unverheiratet oder kinderlos gebliebene Frau einzubeziehen – an manchen Bemerkungen schimmert dabei auch die Schwere ihres eigenen Schicksals durch und die Art der gefundenen Überwindung. Im Gespräch über ihre Speyrer Schule skizziert sie sich selbst: „Ich lasse jede Klasse einmal in der Woche zu mir kommen. Dort geschieht dann keine planmäßige Bildungsarbeit, es wird gespielt, gesungen, gelesen. Hier fällt die Schranke von Lehrerin und Schülerin, die Mädchen sind geneigt, sich anzuschließen, sie finden hier Verständnis, das sie zu Hause nicht finden. Manchmal empfinde ich es so, daß man der Mutter etwas wegnimmt."[5]

Das Bild von der geistigen Mutterschaft ist aber noch nicht vollständig, bevor man nicht hinzunimmt, daß auch die leibliche Mutterschaft dieses Jungfräuliche einschließt: gerade dies meint ja Freisein vom eigenen Leib, die Kinder personal zu sehen, nicht als Habe, die man zu Tode besitzt, sondern als Gabe. „Frei sein von allen Geschöpfen, von falscher Bindung in sich selbst und an andere, (...) das ist der innerste, geistige Sinn von Reinheit. Diese virginitas der Seele muß auch die Frau besitzen, die Gattin und Mutter ist: ja, nur kraft solcher virginitas kann sie ihre Aufgabe erfüllen; dienende Liebe, die weder sklavisches Unterworfensein noch herrisches Sichbehaupten und Gebietenwollen ist (...)"[6] Deswegen ist die Bedeutung der Jungfrau-Mutter für jeden Frauentypus offen: er deutet genau die Pole an, zwischen denen sich das konkrete Leben einer Frau entfaltet, entfalten soll.

Es gehört zu Edith Steins Weite des Blicks, daß sie die

Härten weiblicher Schicksale, denen sich das eigentlich gewünschte Leben versagt, mitbedenkt und vorsichtige, selbsterprobte Anleitungen zur Überwindung des Ungelebten gibt. Moderner gesagt: Sie will zur Integration des Nichtgelungenen hinführen. Dies kann geschehen in der Orientierung an anderen Frauenleben, die mit Ähnlichem zu kämpfen hatten und doch ihr Leben noch gewannen; es kann auch geschehen in der Überantwortung an den Lebendigen selbst. Daß es eine Frucht auch der Unfruchtbaren gibt, läßt sich nicht am Schreibtisch behaupten, es läßt sich aber durch Erfahrung einlösen.

Edith Steins Gedanken zur Mutterschaft stehen auf dem Boden einer reichen Kindheit. So soll noch das Bild der starken Frau, wenigstens verhalten, auftauchen, von der sie vor allem Lernen gelernt hatte: „Die Mutter ist die erste Bildnerin. Auf mich hat das Leben, das Beispiel meiner Mutter, obwohl sie kein Bildungsideal gehabt hat, stark bildend gewirkt."[7]

Mit welchem Recht darf wohl eine Frau, die selbst nicht Mutter ist, es wagen, zu Müttern von mütterlicher Erziehungskunst zu sprechen? Vielleicht meinen Sie, daß das Studium der Psychologie und Pädagogik das Recht dazu gebe. Und gewiß: Dieses Studium, wenn es in der richtigen Weise betrieben wird, kann uns Aufschlüsse geben, zu denen der bloße *mütterliche Instinkt* nicht gelangt. Es wird aber immer nur dann fruchtbar sein, wenn uns die Fragen, von denen die Wissenschaft spricht, aus dem Leben erwachsen und wenn wir es verstehen, den Zusammenhang zwischen den Feststellungen der Wissenschaft und den Tatsachen des Lebens herauszufinden. Und so scheint mir, um Ihr Vertrauen zu gewinnen, fast wichtiger als das wissenschaftliche Studium der Umstand, daß ich sehr weit zurückreichende, zusammenhängende und lebhafte Kindheitserinnerungen habe, daß ich im Familien- und Bekanntenkreis und im Schuldienst viele Kinder heranwachsen sah und ihre Entwicklung über lange Zeiträume hin verfolgen konnte und daß viele mir ihr Vertrauen schenkten.

Wenn ich nun alle meine Erfahrungen und Kenntnisse aus diesem Gebiet zusammennehme, so muß ich sagen, daß nach meiner Überzeugung keine natürliche Macht sich in ihrer Bedeutung für Charakter und Schicksal des Menschen mit der Einwirkung der Mutter messen kann. Wenn uns Menschen begegnen, die frei und gerade und offen ihren Weg gehen, von denen Licht und Wärme ausgeht, dann dürfen wir fast mit Sicherheit annehmen, daß sie eine sonnige Kindheit hatten und daß die Sonne dieser Kindheit eine gesunde Mutterliebe war. Wenn wir auf Menschen treffen, die scheu und mißtrauisch sind oder andere Verkrümmungen und Verbiegungen des Charakters zeigen, so ist mit nicht geringerer Sicherheit zu schließen, daß in ihrer Jugend etwas versäumt oder verfehlt worden ist, und fast immer hat es dann, wenn nicht *allein,* so doch *auch* von seiten der Mutter an etwas gefehlt. Denn so schwere Schädigungen dem jungen Menschenkinde auch von anderer Seite zugefügt werden können: die ganz reine und echte Mutterliebe wird in den meisten Fällen Mittel und Wege finden, um darüber Herr zu werden.

Es ist etwas Geheimnisvolles um den Zusammenhang zwischen Mutter und Kind. Nie wird der Verstand es restlos begreifen können, wie es geschieht, daß im mütterlichen Organismus der neue Organismus sich bildet. Ebenso unbegreiflich, aber nicht minder Tatsache ist es, daß nach der Trennung von Mutter und Kind durch den Vorgang der Geburt ein unsichtbares Band bestehen bleibt, kraft dessen die Mutter spüren kann, was dem Kinde nottut, was ihm droht, was in ihm vorgeht, und eine wunderbare Erfindungsgabe besitzt, das Nötige herbeizuschaffen und das Schädliche abzuwehren, und eine todesmutige Opferbereitschaft. Darum ist sie im Grunde unersetzlich, und ein Kind, dem die Mutter entrissen wird oder dessen Mutter keine *richtige Mutter* ist, wird sich niemals so entfalten können wie eins, das in der Obhut echter Mutterliebe aufwächst.

Diese natürliche Verbundenheit ist die erste und wichtigste Grundlage jener wunderbaren Macht, die wir der Einwirkung der Mutter zusprechen. Als zweites kommt hinzu die Bildsamkeit der jugendlichen Seele in den ersten Lebensjahren. Viel früher, als der psychologische Laie meint, empfängt die Kinderseele ihre ersten Eindrücke, und sie können haften und bestimmend sein für das ganze Leben. Ja, es gibt kluge und erfahrene moderne Ärzte, die nicht über den alten Volksglauben lächeln, wonach das Kind schon im Mutterleibe bestimmende Einflüsse erfährt, die es nicht nur körperlich, sondern auch seelisch formen. Andererseits bleibt die Bildsamkeit der ersten Jahre nicht bestehen. Und was in diesen Jahren versäumt wird, in denen das Kind noch ganz oder überwiegend unter dem Einfluß der Mutter und der eigenen Familie steht, das ist später kaum noch nachzuholen.

Aus der *Macht* der Mutter erwächst ihre *Pflicht* und *Verantwortung.* Von ihr mehr als von irgend einem anderen Menschen hängt es ab, was aus ihrem Kinde wird: wie sich sein Charakter entwickelt und ob es glücklich oder unglücklich wird. Denn über Glück oder Unglück entscheidet nicht so sehr, was uns von außen zustößt, als was wir sind.

Die erste Pflicht, die daraus für die Mutter erwächst, ist, daß sie *für ihr Kind da sein muß:* wenn die Lebensumstände es irgend gestatten, nicht sich durch andere vertreten lassen, die sie ja doch nicht voll ersetzen können. Wenn Gesundheitsrücksichten oder berufliche Tätigkeit sie hindern, das Kind allein zu betreuen, dann erstens dafür sorgen, daß die Verbindung doch erhalten bleibt (für-das-Kind-Dasein bedeutet nicht immer-mit ihm-Zusammensein), und zweitens sich vergewissern, *wem* sie ihr Kind anvertraut, es nicht der Schädigung durch gewissenloses oder törichtes Pflegepersonal aussetzen.

Echte Mutterliebe, in der das Kind gedeiht, wie die Pflanze in milder Sonnenwärme, weiß, daß es *nicht für sie da ist:* nicht als Spielzeug, um ihre leere Zeit auszufüllen, nicht um ihr Verlangen nach Zärtlichkeit zu stillen, nicht um ihre Eitelkeit und ihren Ehrgeiz zu befriedigen. Es ist ein Gottesgeschöpf, das seine Natur möglichst rein und unverkümmert entfalten und sie dann an seinem Platz im großen Organismus der Menschheit betätigen soll. Ihr ist es aufgegeben, dieser Entfaltung zu dienen, der Natur still zu lauschen, sie ungestört wachsen zu lassen, wo kein Eingreifen nötig ist, und einzugreifen, wo Leitung und Hemmung erforderlich ist. (GL)

Als die weibliche Seelengestalt herausgestellt habe ich die Mütterlichkeit. Sie ist nicht an die leibliche Mutterschaft gebunden. Wir dürfen nicht von dieser Mütterlichkeit los-

kommen, wo immer wir stehen. Die Krankheit der Zeit ist
darauf zurückzuführen, daß nicht mehr Mütterlichkeit da
ist.   (D 9)

Geehrt und gepriesen in Israel war die Frau, die Mutter von
Kindern und besonders von Söhnen wurde, verachtet und
wie mit einem Fluch behaftet die Unfruchtbare. Als besonderen Erweis der Güte Gottes rühmt der Psalmist (Ps. 112),
daß er die Unfruchtbare zur frohen Mutter macht. Hochan-
gesehen ist die Stellung der Gattin und Mutter in der Familie. Weit über die Grenzen des Hauses dringt ihr Ruf. Sie
sorgt für den Wohlstand des Hauses und für alle seine Be-
wohner, öffnet aber auch ihre Hände den Armen; das Herz
des Mannes vertraut auf sie. Selbst die erwachsenen Söhne
schauen zu ihr auf und hören auf ihren Rat. „Ihren Mund
öffnet sie zur Weisheit und das Gesetz der Milde ist auf ihrer Zunge". Der Preis kommt ihr zu, weil sie den Herrn
fürchtet. Das ist das Geheimnis ihres tatkräftigen Wirkens
und all ihrer Erfolge. Wo in jüdischen Familien noch etwas
von der alttestamentlichen Tradition lebendig ist, da hat
die Frau immer noch die königliche Stellung. Es ist ihre
hohe Aufgabe, nicht nur Kinder zur Welt zu bringen und
für ihr leibliches Fortkommen zu sorgen, sondern sie in der
Furcht des Herrn zu erziehen.   (F 148)

Echte Mutterschaft ist zugleich ein natürlicher und ein
übernatürlicher Beruf: der natürliche, Kinder für dieses Leben zu erziehen, ihre leiblichen und seelischen Kräfte zur
besten naturgemäßen Entfaltung zu bringen; der übernatürliche, sie zu Gotteskindern zu bilden, ihnen zu helfen, daß
sie des ewigen Lebens teilhaftig werden.   (GL)

60

Physisch bedeutet die *Mutterschaft* eine weit engere Bindung an das werdende Geschöpf als die Vaterschaft, damit zugleich die Bindung ihres Lebens in engen Grenzen. Hut und Pflege des jungen Menschenlebens sind ihre besonderen Aufgaben, Schutz und Versorgung von Mutter und Kind in räumlich weiter ausgreifender Tätigkeit und größerer Freizügigkeit die des Mannes. Dem entspricht die körperliche Eigentümlichkeit, die dem Manne große Kraftentfaltung zu Angriff und Verteidigung gestattet, der Frau Fähigkeit und Ausdauer und Widerstand im Ertragen von Leiden und Mühen.

Dem entspricht aber auch die seelische Eigenart. Hut und Pflege bedarf nicht nur der Leib, sondern auch die Seele des Kindes. Noch mehr als im Gattenverhältnis bedarf es hier der sorgenden, wärmenden Liebe, des zarten Verständnisses, der stillen, selbstverständlichen Opferbereitschaft, um das keimende Leben zum Aufblühen zu bringen, es nicht durch Mangel an Wärme und Nahrung verkümmern zu lassen oder durch gewaltsames Zugreifen zu zerstören oder in seinem natürlichen Wachstum zu hindern. Die seelische Ausrüstung, die der Bestimmung zur Gattin und Mutter entspricht, ist nicht an die engen Grenzen der ehelichen Verbindung und leiblichen Mutterschaft gebunden, sondern kann in ihrer Auswirkung jedem zugute kommen, mit dem das Leben die Frau in Berührung bringt. Auf diese Weise wird es auch der Frau, der Ehe und Mutterschaft versagt sind oder die freiwillig darauf verzichtet, möglich gemacht, in einem vergeistigtem Sinne ihre Bestimmung zu erfüllen. Überall, wo sie einem einsamen Menschen, insbesondere einem, der in leiblicher oder seelischer Not ist, liebevoll teilnehmend und verstehend, ratend und helfend zur Seite steht, ist sie Lebensgefährtin, die dazu hilft, „daß der Mensch nicht allein sei". (GL)

Die schwierigste Aufgabe hat sicherlich die Frau, die dauernd unverheiratet bleiben muß, obgleich ihre natürliche Neigung in anderer Richtung geht. Es besteht die große Gefahr, daß sie freudlos und verbittert wird oder in unfruchtbaren Träumen und Hoffnungen einen Ersatz für das sucht, was ihr die Wirklichkeit versagt. Der erste Schritt, um diesen Gefahren oder der noch schlimmeren, der seelischen Erkrankung zu entgehen, ist der, daß man den Tatsachen furchtlos und nüchtern ins Gesicht sieht. Wenn man einmal die Jahre erreicht hat, in denen normalerweise auf eine Eheschließung nicht mehr zu rechnen ist, dann heißt es einen energischen Schlußstrich unter die Jugendhoffnungen ziehen. Dann aber nicht den entschwundenen Hoffnungen nachtrauern, sondern sich die Konsequenzen klarmachen.

(GL)

Die unverheiratete Frau mag vielfach leichter und sorgloser leben, aber sie hat es zweifellos schwerer, der weiblichen Bestimmung zu genügen, und bei vielen wirkt sich das auch subjektiv in schweren Leiden aus. Manche kommen ihr Leben lang nicht von Träumen los, die niemals Wirklichkeit werden, und versäumen darüber das wirkliche Leben. Die modernen Lebensverhältnisse bieten Berufsarbeit als Ersatz für häusliches Glück, und viele Frauen stürzen sich mit Feuereifer hinein in ihre Tätigkeit. Aber man kann keineswegs behaupten, daß alle wahre Befriedigung darin finden, und noch wenigere sind es, die dabei echte Frauen bleiben und es fertigbringen, in ihrem Berufe der Bestimmung der Frau zu genügen. Die unleidlichste aller Krankheiten, die den Menschen sich selbst und anderen zur Last macht, die Hysterie, tritt bei vielen als Folge der unbefriedigten Triebe auf.

(GL)

Man darf es nämlich mit dem Übergang von der vollen leiblich-seelischen Ehe und Mutterschaft zur vergeistigten nicht zu leicht nehmen. Leib und Seele sind ein untrennbares Ganzes und es ist nicht ohne weiteres gesagt, ja sogar sehr unwahrscheinlich, daß eine leiblich-seelische Funktion dieselbe bleibt, wenn die leibliche Seite ganz ausgeschaltet wird.

Ich möchte diese Frage hier in aller Offenheit behandeln, weil ich weiß, daß an diesem Punkte eine Quelle vieler Leiden und Schwierigkeiten ist. Die normale, gesunde Frau hat das natürliche Verlangen, Gattin und Mutter zu werden. (...) Beim jungen Mädchen äußert sich das Verlangen als frohe Erwartung künftigen Familienglückes. Wenn die Erfüllung eintritt, so zeigt sie wohl in der Regel ein sehr viel anderes Gesicht als die Erwartung. Ich glaube, auch die meisten „glücklichen" Ehen sind meistens mindestens für *einen* Teil ein Martyrium. Doch selbst in unglücklicher Ehe entspricht die Frau durchschnittlich ihrer Bestimmung besser als außer der Ehe. Mögen auch manche in Sorge, Not und Leid verkümmern und verbittern – viele reifen unter all diesen Lasten heran zu wahrhafter Größe.   (GL)

Solche geistliche Mutterschaft vermag wohl ein Menschenleben zu erfüllen, aber sie ist nur bei Menschen möglich, deren eigene Seele von Christus erfüllt und befruchtet ist. (...) Wer zu einem ehelosen Beruf bestimmt ist, der darf und soll das als Ruf Christi betrachten. Die Frau, die den Ruf hört, soll die ausgestreckte Gotteshand ergreifen und von ihr sich leiten lassen. Sie darf dann – auch außerhalb des Ordensstandes – auf den Ehrentitel der „sponsa Christi" Anspruch erheben und der besonderen Fürsorge gewiß sein, die der Herr den seinem Dienst Geweihten zuteil werden läßt.   (GL)

„Gegen spießbürgerliche Enge":
Thesen zur Frauenbildung

„Bildung ist nicht ein äußerer Wissensbesitz, sondern die Gestalt, die die menschliche Persönlichkeit unter der Einwirkung mannigfacher fremder Kräfte annimmt."[1] Mit dieser Bestimmung entfernt sich Edith Stein nachhaltig vom Bildungsbegriff der Aufklärung, welcher das 19. Jahrhundert prägte, nämlich vom Ideal eines „möglichst vollständigen *enzyklopädischen Wissens*" und der Seele als einer „*tabula rasa,* in die durch verstandesmäßiges Aufnehmen und gedächtnismäßiges Einprägen so viel wie möglich eingeschrieben werden soll."[2] Die Empfindlichkeit gegenüber diesem mechanischen Pauken entsprang wohl ihrer eigenen gegenläufigen Art, durch Einsicht in den Zusammenhang zu lernen: „Ich war nie auf den Gedanken gekommen, daß man ein Pensum auswendig lernen könne."[3]

Bildung hat vielmehr mit dem Reifen zur eigenen Wesensgestalt zu tun – ein Entwurf, den Edith Stein mit Romano Guardinis „Grundlegung der Bildungslehre" gemein hat. So hat jede spezifische Frauenbildung als Ansatz und Ziel die „innere Form" der Frau und sollte schon deswegen von der spezifischen Männerbildung getrennt werden, ohne Überschneidungen zu leugnen.

Aus dem über Natur, Seele, Geistigkeit der Frau Gesagten ergibt sich notwendig als Mitte aller Bildung die Bildung des Gemüts. Sie hat ein Doppeltes im Auge: die Anlage selber zu schulen, zu ihrem Eigensten zu entbinden, und ihre gefährdenden Möglichkeiten zu bändigen.

Hier gelingt Edith Stein Weitblickendes, weil sie die Schulung des Gemütes durchaus nicht nur an der unmittelbaren Förderung der Gemütswerte orientiert, sondern an ihrem scheinbaren Gegenteil: der Verstandesschulung. Verzichtet man auf die Übung der Rationalität, so stellt sich das Versäumnis früherer Jahrzehnte wieder ein, welche einen Frauentypus entstehen ließen mit einem „Scheinleben in Träumen"[4] – im Grunde eine „groteske, kleinbürgerliche Versimpelung" der Frau zum „Ideal einer Zierde des häuslichen Herdes"[5]. Gerade die Stärke des Gemütes, seine „Einfühlung" (Thema der Doktorarbeit Edith Steins), verkehrt sich leicht in die Hauptschwäche, Echtes und Unechtes nicht trennen, Schein und Wirklichkeit nicht unterscheiden zu können. So sind Unterscheidungsfähigkeit[6], Werturteil, Beherrschung der Triebkraft durch den Verstand unerläßlich – soll das Gemüt tatsächlich es selbst bleiben. Konkret schlägt Edith Stein nicht nur die geisteswissenschaftlichen Fächer Religion, Geschichte, Literatur, Biologie, Psychologie und Pädagogik vor, und zwar mit dem Augenmerk auf der *praktischen* Betätigung, sondern ebenso die formal bildenden Fächer, nämlich mathematisch-naturwissenschaftlichen und sprachlich-grammatischen Unterricht.[7] Ja sie betont die kontrollierende Aufgabe des weiblichen Verstandes gerade im Unterschied zu Bestrebungen, die Frau als Gemütswesen dem Mann als dem Verstandeswesen unterzuordnen, und erweist hier eine wohltuende Klarheit: „(...) so ist doch der Verstand der Schlüssel zum Reich des Geistes, das Auge des Geistes, durch das Licht in das Dunkel der Seele dringt. (...) Es darf und muß der Verstand, der ja doch *da* ist, zur Tätigkeit genötigt werden. Er kann gar nicht hell und scharf genug werden."[8]

Mit diesem Plädoyer ist freilich keiner abstrakten, sondern einer ganzheitlichen Bildung das Wort geredet. Das geht auch daraus hervor, daß Edith Stein die religiöse Erziehung als materialen Grund aller Erziehung ansieht, dem der formale Verstand seine Möglichkeit des Wertens verdankt. Die Hochschätzung des Religiösen geht durch alle Bildungskonzepte und muß gewiß als vorrangiges pädagogisches Anliegen Edith Steins gesehen werden. Damit ist allerdings gerade nicht – wie es heute im Zeichen der Religionskritik beargwöhnt würde – ein Einpassen in herkömmliche und allgemeine Frauenbilder angestrebt. Umgekehrt wird vielmehr die echte religiöse Bildung feinfühlig machen für den „Sonderberuf", wie er die Frauen des Alten und Neuen Testaments und der Kirchengeschichte auszeichnet (und wie Edith Stein aus ihrer eigenen ungewöhnlichen Entwicklung um so deutlicher von einer Sonderbegabung wußte). So wird neben den allgemeinen Vorgaben des Frauseins nachdrücklich dem Hören auf die eigene Individualität das Wort geredet, bei der Schülerin selber wie bei der Erzieherin. „Glauben an das eigene Sein und Mut zum eigenen Sein"[9] stehen in der Mitte aller Bildungswege und Bildungsmittel. Je offener das Annehmen des (göttlichen) Rufes, desto klarer die Entfaltung des Eigenen: in dieses Paradox läßt Edith Stein die Bildungsarbeit münden. Durchaus keine Rollenerziehung also, sondern Erziehung zu sich selbst: „So können wir als Ziel der individuellen Bildungsarbeit den Menschen bezeichnen, der ist, was *er* ganz persönlich sein soll, der *seinen* Weg geht und *sein* Werk wirkt. (...) Wer zur reinen Entfaltung der Individualität hinführen will, der muß zum Vertrauen auf Gottes Vorsehung hinführen."[10]

Die Eigenart der Individualität kann daher in unserer Zeit auch Lebensformen annehmen, die für vergangene Zeiten mit dem Leben der Frau für unvereinbar galten. Ja, das 20. Jahrhundert hat sogar für viele Frauen bislang undenkbare Lebensformen freigesetzt oder – mehr negativ – ihnen solche aufgezwungen. Um so mehr muß sich die Pädagogik, aber auch das Selbstverständnis der Zeit auf diese neuen Weisen des Frauseins einstellen, nicht klagend oder bedauernd, sondern grundsätzlich bejahend.

Aller menschlichen Bildungsarbeit ist die Aufgabe gestellt, an der Wiederherstellung der integren Natur mitzuwirken.

(F 140)

Nach unserer Auffassung ist wiederum zu scheiden zwischen dem allgemeinen Ziel des Menschen als solchen, dem spezifisch weiblichen Bildungsziel und dem individuellen eines Menschen. Es ist nicht willkürlich zu setzen, sondern von Gott bestimmt.

(F 58)

Wie ist es nun möglich, aus dem Rohmaterial der weiblichen Eigenart mit all ihren Mängeln und Schwächen (wir alle haben als Evastöchter unser Teil daran) die geläuterte, wertvolle weibliche Art herauszuarbeiten?

Es gibt zunächst ein gutes natürliches Mittel dazu: das ist *gründliche sachliche Arbeit*. Jede solche Arbeit, welcher Art immer – ob Hausarbeit, Handwerk, Wissenschaft oder was sonst – erfordert, daß man sich den Gesetzen der betreffenden Sache unterwirft; daß man die eigene Person, die Gedanken an sie wie alle Launen und Stimmungen, hinter der Sache zurücktreten läßt. Und wer das gelernt hat, der ist *sachlich* geworden, er hat etwas von der *Allzupersönlichkeit* verloren und eine gewisse Freiheit von sich erlangt, zugleich ist er an einem Punkt von der Oberfläche in die Tiefe gelangt, er hat etwas, worauf er stehen kann. Schon um dieses großen persönlichen Gewinns willen, ganz abgesehen von jedem wirtschaftlichen Zwang, sollte jedes Mädchen eine gründliche Berufsausbildung bekommen und nach dieser Ausbildung eine Beschäftigung haben, die es voll ausfüllt. Es gibt keinen günstigeren Nährboden für die Entartung der weiblichen Eigenart und ihre krankhafte Steigerung (die Hysterie) als das Leben der *höheren Tochter* alten Stils und das der unbeschäftigten Frau aus den

begüterten Kreisen. Da die sachliche Arbeit, die wir als Heilmittel gegen die Mängel der weiblichen Eigenart ansehen,
etwas ist, wozu der Mann durchschnittlich von Natur aus
neigt, so könnte man auch sagen: Ein Zuschuß männlichen
Wesens ist das Gegengift gegen das *Allzu-Weibliche*. Damit
ist aber auch eigentlich schon gesagt, daß wir dabei nicht
stehen bleiben dürfen. Es wäre damit nur eine Angleichung
an den männlichen Typus erreicht, wie es in den Anfängen
der Frauenbewegung tatsächlich vielfach war, und das wäre
weder für uns noch für andere ein großer Gewinn. Wir
müssen weiter fortschreiten von der sachlichen Einstellung
zur rechten persönlichen, die im Grunde auch die höchste
sachliche ist. (F 210)

[...] der Kampf wird geführt gegen eine Mädchenbildung,
die fast ausschließlich in der Hand von Männern lag und
deren Ziele und Wege von Männern bestimmt waren. Daß
es so war, wurde von der großen Masse wie eine unabänder-
liche Tatsache hingenommen. Und doch war es etwas ge-
schichtlich Gewordenes, und nicht einmal aus grauer
Vorzeit Stammendes, sondern eine Errungenschaft der
Neuzeit; etwas, was keineswegs überall in der Welt so war,
sondern gerade in Deutschland sich eingebürgert hatte; und
was auch nicht einmal im ganzen Deutschland galt. Die katholischen Länder hatten wie seit den ältesten Tagen christlicher Kultur ihre klösterlichen Bildungsanstalten, von
Ordensfrauen betreut und vielfach auch geleitet. (F 111)

Die öffentlichen höheren Mädchenschulen, die im
19. Jahrhundert allmählich entstanden, kamen in die Hand
von Männern. Und kaum glaublich erscheinen uns heute
die Auffassungen, die für ihre Ausgestaltung maßgebend
wurden. Ich gebe als Probe eine in den Schriften der Frauen-

bewegung häufig zitierte Stelle aus der Denkschrift der *ersten Hauptversammlung von Dirigenten und Lehrenden der höheren Mädchenschulen* an die deutschen Staatsregierungen (1872): „Es gilt dem Weibe eine der Geistesbildung des Mannes in der Allgemeinheit der Art und der Interessen ebenbürtige Bildung zu ermöglichen, damit der deutsche Mann nicht durch die geistige Kurzsichtigkeit und Engherzigkeit seiner Frau an dem häuslichen Herde gelangweilt und in seiner Hingabe an höhere Interessen gelähmt werde, daß ihm vielmehr das Weib mit Verständnis dieser Interessen und der Wärme des Gefühls für dieselben zur Seite stehe."

Bezeichnend ist auch die Erklärung des Programms für die Konservative Partei Preußens aus der Feder Paul *de Lagardes* (Göttingen 1884, S. 25): „Jedes Weib lernt wirklich nur von dem Mann, den es liebt, und es lernt dasjenige, was und soviel wie der geliebte Mann durch seine Liebe als ihn erfreuend haben will. Das Regelrechte ist, daß Mädchen heiraten und ihre Bildung in der Ehe gewinnen; doch auch Schwestern, Töchter, Pflegerinnen werden durch Brüder, Väter, Kranke und Greise zu etwas gemacht werden, wenn sie diese Männer mit warmem Herzen bedienen."

Man hört wohl in diesen Dokumenten noch etwas von jenen Schrifttexten anklingen, in denen das Körnchen Wahrheit, das darin steckt, seine Begründung suchen könnte (von der Bestimmung der Frau zur *Hilfe* des Mannes). Aber losgelöst von dieser Grundlage erscheinen sie als eine groteske, kleinbürgerliche Versimpelung der alttestamentlichen Auffassung. Wie anders nimmt sich das Bild der *mulier fortis* (Prov. 31,10–31) aus, das uns die Liturgie der Kirche an den Festen heiliger Frauen vor Augen stellt, als dieses Ideal einer *Zierde des häuslichen Herdes,* das für die Mädchenbildung des 19. Jahrhunderts richtunggebend sein sollte.   (F 111–112)

Forschen wir nach der Ursache der Krisis, die das alte System ins Wanken gebracht hat, so ist sie wohl in dem *Bildungsbegriff* zu suchen, der jenem System zugrunde lag und den wir heute als verfehlt betrachten. Die „alte Schule" ist im wesentlichen ein Kind der Aufklärungszeit. (...)

Das Bildungsideal, das hier vorschwebte, war das eines möglichst vollständigen *enzyklopädischen Wissens,* die vorausgesetzte Seelenvorstellung die der *tabula rasa,* in die durch verstandesmäßiges Aufnehmen und gedächtnismäßiges Einprägen so viel wie möglich eingeschrieben werden soll. Das System, das auf solchem Grunde erwachsen war, hat durch seine offenbaren Mängel eine immer wachsende Kritik und schließlich einen allgemeinen Sturm gegen sich heraufbeschworen; es ist heute wie ein Haus im Abbruch – hier und da noch ein Mauerstück, ein Fensterbogen, dazwischen Schutthaufen, mitten drin da und dort eine neue Zelle gebaut. Ob es wohl möglich ist, all das wegzuräumen und auf festem Grunde nach einheitlichem Plan ein neues Bauwerk zu errichten? Das Streben danach ist da; seit Jahren sehen wir das Ringen um einen neuen Bildungsbegriff, der im Grunde ein sehr alter Bildungsbegriff ist.

Ich versuche in wenigen Strichen zu zeichnen, worauf mir all diese Bemühungen abzuzielen scheinen. *Bildung* ist nicht ein äußerer Wissensbesitz, sondern *die Gestalt, die die menschliche Persönlichkeit unter der Einwirkung mannigfacher fremder Kräfte annimmt,* bzw. der Prozeß dieser Formung. Das Material, das zu formen ist, ist einmal die leiblich-seelische Anlage, die der Mensch mit zur Welt bringt, sodann die Aufbaustoffe, die beständig von außen aufgenommen werden und dem Organismus einverleibt werden sollen. Der Körper entnimmt sie der materiellen Welt, die Seele ihrer geistigen Umwelt, der Welt von Personen und Gütern, die ihr zur Nahrung bestimmt sind.

Die erste und grundlegende Formung geschieht von innen her. Wie im Pflanzensamen eine *innere Form steckt,* eine unsichtbare Kraft, die es macht, daß hier eine Tanne und dort eine Buche emporwächst, so steckt im Menschen eine innere Form, die zur Entwicklung in bestimmter Richtung drängt und in blinder Zielstrebigkeit auf eine bestimmte *Gestalt* hinarbeitet, die reife, voll entfaltete Persönlichkeit, und zwar eine Persönlichkeit von ganz bestimmter individueller Eigenart. (F 73–75)

Die Mädchenerziehung früherer Jahrzehnte hat wohl mit richtiger Erkenntnis der weiblichen Natur die gemütbildenden Stoffe in den Mittelpunkt gestellt. Aber sie hat es versäumt, für die unerläßliche Ergänzung durch Verstandesschulung und -bildung in ausreichendem Maße zu sorgen und Gelegenheit zu praktischer Betätigung zu schaffen. Sie hat mit Schuld an der Entstehung jenes Frauentypus, der ein Scheinleben in Träumen führt und den Aufgaben der Wirklichkeit gegenüber versagt oder sich wechselnden Gefühlen und Stimmungen wehrlos hingibt, nach Sensationen jagt, die das Gemüt immer wieder in Erregung versetzen, und nicht zu fester Lebensgestaltung und fruchtbarem Wirken kommt. Die moderne Schule hat dem abhelfen wollen. Sie hat in immer verstärktem Maße verstandesschulende Fächer – Mathematik, Naturwissenschaften, alte Sprachen – in die Mädchenlehrpläne eingeführt. Sie sucht das Prinzip der Selbsttätigkeit durchzuführen und dadurch zu erreichen, daß die Stoffe nicht nur gedächtnismäßig eingeprägt, sondern mit dem Verstande erarbeitet werden und eben dadurch der Verstand wirkliche Schulung erhält, zugleich auch der Wille vor Aufgaben gestellt, geübt und gestärkt wird. Sie bemühen sich in der Schule ein Gemeinschaftsleben zu gestalten und durch Einrichtungen wie Schulgemeinden, Wanderungen, Festlichkeiten, freie Arbeitsgemeinschaften Gelegenheit zu praktischer Betätigung und dadurch zur Schulung für das soziale Leben zu schaf-

71

fen. In all dem stecken sicher viel fruchtbare Keime und gute Ansätze trotz mancher Kinderkrankheiten, wie sie bei radikalen Reformen immer hervortreten. Die große Gefahr ist, daß man die weibliche Natur und die dadurch geforderte Bildung außer acht läßt und sich allzu eng an das Vorbild der männlichen Bildungsanstalten anschließt. Diese Gefahr ist nahegelegt durch die veränderten Anforderungen des praktischen Lebens.

In Jahrhunderten, die für die Frau kaum einen andern Beruf kannten als den der Gattin und Mutter oder der Klosterfrau, war es selbstverständlich, daß die Mädchenbildung auf diese Ziele eingestellt wurde, daß die Mädchen in der Familie oder im Kloster unter der Leitung von Hausfrauen oder Nonnen in häuslicher Tätigkeit und Übungen der Frömmigkeit eingeführt und damit für ihren späteren Beruf vorgebildet wurden. Die Umwandlung im Wirtschaftsleben, die sich im 19. Jahrhundert vollzog, hat das häusliche Leben durchschnittlich so vereinfacht, daß es kein ausreichendes Feld mehr für Betätigung aller weiblichen Kräfte war. Zugleich hat die Erschütterung des Glaubenslebens für weiteste Kreise den Klosterberuf als in Betracht kommende Möglichkeit ausgeschaltet. Das ergab bei den passiveren Naturen das Versinken im Triebleben oder in leeren Träumen und Tändeleien, bei den stark aktiven das Streben nach außerhäuslicher Berufstätigkeit. So ist die Frauenbewegung entstanden.

Da Jahrhunderte hindurch die außerhäuslichen Berufe in der Hand von Männern gelegen hatten, war es natürlich, daß sie männliche Prägung angenommen hatten und daß die Vorbildung der männlichen Natur angepaßt war. Die Forderungen der radikalen Frauenbewegung waren Zulassung zu allen Berufen und Eröffnung aller Bildungswege. Sie ist unter harten Kämpfen nur sehr allmählich Schritt für Schritt vorgedrungen, bis bei uns in Deutschland die Revolution ziemlich plötzlich die Erfüllung fast aller Forderungen brachte. Während in den Anfängen der Bewegung vornehmlich Frauen ins Berufsleben eintraten, deren individuelle Begabung und Neigung in dieser Richtung gingen und ihnen das Eingewöhnen verhältnismäßig leicht machten, hat die wirtschaftliche Krisis der letzten Jahre viele dazu gezwungen, die sich aus freien Stücken niemals dazu entschlossen hätten. So haben sich mancherlei Konflikte ergeben, es sind aber auch wertvolle Erfahrungen gemacht worden. (F 62–64)

Natur und Bestimmung der Frau verlangen eine Bildung, die zu einem Wirken tätiger Liebe führen kann. Das verlangt wohl als Wichtigstes Bildung des Gemüts, aber jene wahrhafte Gemütsbildung, zu der Klarheit des Verstandes und Tatkraft sowie praktische Tüchtigkeit gehören: die richtige, den objektiven Werten angemessene innere Einstellung des Gemüts und praktische Auswirkung dieser Einstellung ermöglicht. Der objektiven Rangordnung der Werte entspricht es, das Überirdische über alle irdischen Werte zu stellen. Die Anbahnung dieser Einstellung entspricht zugleich dem künftigen Beruf, Menschen für das Gottesreich zu bilden. Der Kern aller Frauenbildung (wie aller Menschenbildung überhaupt) muß darum die religiöse Bildung sein; eine religiöse Bildung, die die Glaubenswahrheiten in einer das Gemüt packenden und zur Tat begeisternden Weise nahezubringen weiß. (F 64)

Soll die Seele recht gebildet und nicht verbildet werden, so muß sie vergleichen und unterscheiden können, wägen und messen. Sie darf nicht mit einer unbestimmten Begeisterung erfüllt, in einen Zustand der Schwärmerei versetzt werden, sie muß feines Empfinden und ein geschärftes Urteil bekommen.

73

Dazu gehört einmal ein wohlgeübter Verstand. Wenn auch abstrakte Verstandestätigkeit den Frauen durchschnittlich weniger liegt und wenn das rein verstandesmäßige Aufnehmen noch keine wirkliche Bildung gibt, so ist doch der Verstand der Schlüssel zum Reich des Geistes, das Auge des Geistes, durch das Licht in das Dunkel der Seele dringt. Oda *Schneider* hat in ihrer Grazer Rede über die *Sendung der Frau* gesagt, es genüge der Frau zu lieben und sie frage nicht lang: *was* und *wozu*. Darin liegt aber die schwere Gefahr der Verirrung, der Ziel- und Richtungslosigkeit. In jener Rede wurde damit die Bedeutung männlicher Leitung klargelegt. Aber das besagt nicht Ausschaltung des eigenen Urteils und Bestimmung zur Unselbständigkeit. Es darf und muß der Verstand, der ja doch *da* ist, zur Tätigkeit genötigt werden. Er kann gar nicht hell und scharf genug werden. Aber freilich darf die Verstandesbildung nicht auf Kosten der Gemütsbildung ausgebaut werden. Das hieße das Mittel zum Zweck machen. (F 81–82)

Für den Mädchentypus, der die natürliche Eignung zum Hausfrauen- und Mutterberuf zeigt, muß Tüchtigkeit für einen den Fähigkeiten entsprechenden Beruf Bildungsziel sein: je nachdem die Hausfrauen- oder die mütterliche Begabung vorwiegt, zum Wirken in Hauswirtschaft, Landwirtschaft, Gartenbau, eventuell kaufmännischem Betrieb oder in Pflege, Erziehung, Fürsorge. Für den auf geistiges Wirken eingestellten Typ muß die Befähigung zu schöpferischer oder dienender Geistesarbeit, wissenschaftlicher oder künstlerischer oder organisatorischer Art, Ziel sein. (F 156)

Frucht einer idealen, und das heißt nichts anderes als: einer ganz sachgemäßen, Bildungsarbeit müßte es sein, daß jedes Mädchen zu beiden, zur Ehe und zu einem ehelosen Leben,

74

fähig wäre: zum einen durch körperliche Kraft und Gesundheit, durch unverbildetes, natürliches Fühlen, durch Opferwilligkeit und Fähigkeit und Selbstentäußerung; zum anderen durch Überwindung des Trieblebens in gestärkter Geistigkeit. (F 155)

Aber die Naturanlage ist nicht allein ausschlaggebend. Einmal *gibt* sie allein noch nicht die volle Eignung, weder für den einen noch für den anderen Weg. Ehe und Familienleben verlangen nicht nur freie Entfaltung, sondern weitgehend auch Beschneidung, Beherrschung und Umformung der natürlichen vitalen und sozialen Triebe; das Analoge gilt für den anderen Weg. Anderseits führt das Leben nicht immer auf den Weg, den die Naturanlage weist. Die Berufung kann im Gegensatz zur Naturanlage stehen. (F 155)

Das, was für alle Mädchen wesentlich ist, sollte in den Bildungsanstalten umgeben sein von einem freieren und beweglicheren Unterrichtsbetrieb, der den Sonderbegabungen Rechnung trägt und neben dem für alle Verbindlichen Gelegenheit gäbe zu ausgiebigem und gründlicherem Studium dieser oder jener theoretischen Fächer, auch zur Pflege technischer und künstlerischer Talente; so sollte die Individualität berücksichtigt und der späteren Berufswahl und -ausbildung vorgearbeitet werden. (F 65)

Zu dieser religiösen Bildung sollte in aller Mädchenerziehung Anbahnung von Menschenkenntnis und Menschenbehandlung kommen, wozu der Unterricht in Geschichte und Literatur, in Biologie, Psychologie und Pädagogik (natürlich in einfacher, dem Fassungsvermögen angemessener Form) beitragen kann; fruchtbar wird solcher Unterricht aber erst werden, wenn er zu Beobachtung und Betätigung im praktischen Leben Anleitung und Gelegenheit gibt. Die vornehmlich formal bildenden Fächer: mathematisch-naturwissenschaftlicher und sprachlich-grammatischer Unterricht werden im Interesse der Verstandesschulung nicht fehlen dürfen. (F 65)

Mathematik und Naturwissenschaften können, als eigentümliche Weisen geistigen Tuns, auf geisteswissenschaftlichem Wege menschlich-persönlich nahegebracht werden. Die Einführung in ihre eigenen Methoden, die abstrakt und exakt sind (wenn wir bei den Naturwissenschaften vornehmlich an die „exakten" denken), scheint wiederum dem Mädchengeist ferner zu liegen. Aber einmal wäre ihre Ausschaltung aus der Mädchenbildung eine Benachteiligung der Individuen, bei denen die entsprechende Begabung tatsächlich vorhanden ist; sodann bieten sie neben dem grammatischen Unterricht die beste Gelegenheit zur Schulung in scharfem und klarem Denken; schließlich stellen sie – in philosophischer Betrachtung – eine so eigentümliche Auseinandersetzung des Geistes mit der Welt dar und sind so wesentlich für das Verständnis der Stellung des Menschen in der Schöpfung, daß sie als Unterlagen für ein geschlossenes Weltbild gar nicht zu entbehren sind. Geben die Geisteswissenschaften und die exakten Wissenschaften, methodisch betrachtet, den Einblick in die Werke des Menschengeistes, so gibt die Naturbeschreibung das unmittelbare Werk der göttlichen Schöpfung, den Kosmos, und beide zusammen die Gesamtheit der geschaffenen Welt. Die Tendenz auf ein geschlossenes Weltbild aber, die *metaphysische Tendenz*, liegt im Menschengeist als solchen und ist bei den Mädchen sogar sehr stark ausgeprägt. Wo auf sie keine Rücksicht genommen würde, könnte von echter Bildungsarbeit kaum gesprochen werden. Darum werden (...)

Religionsunterricht und eine ihn ergänzende Einführung in die Philosophie die Krönung und die Zusammenfassung des gesamten theoretischen Unterrichts bieten müssen. (F 171)

Die Diskussion über Sexualprobleme: die Sexualpsychologie, -pädagogik und -pathologie hat so weit um sich gegriffen, sich so stark bereits praktisch in Erziehung und Unterricht, in Heilbehandlung und Lebensgestaltung ausgewirkt, daß es nötig ist, sich von der katholischen Grundlage aus mit all diesen Richtungen kritisch auseinanderzusetzen: kritisch, d. h. nicht einfach negativ, sondern gründlich und ernstlich scheidend, was für uns annehmbar und was nicht annehmbar ist. Denn wir können von den modernen Forschungsrichtungen in der Tat vieles lernen; die traditionelle katholische Behandlung oder Nichtbehandlung dieser Fragen ist einer Erneuerung fähig und bedürftig, wenn sie dem Ansturm der Zeitfragen genügen will.

Der Aufbau einer wahrhaft katholischen, großzügigen Sexual- und Ehetheorie und daraus abgeleitete Erziehungsgrundsätze sind darum als eine dringliche Aufgabe aller Jugend- und damit auch aller Mädchenbildung unserer Zeit zu bezeichnen. (F 96–97)

Das kleine Menschenkind ist menschlichen Bildnern in die Hände gelegt. Der heranreifende Mensch, der zu geistiger Freiheit erwacht, ist sich selbst in die Hand gegeben. Kraft *freien Willens* kann er selbst an seiner Bildung arbeiten, er kann frei seine Kräfte betätigen und damit für ihre Ausbildung Sorge tragen, er kann sich den bildenden Einflüssen erschließen oder sich gegen sie verriegeln. Wie die von außen formenden Kräfte, so ist auch er gebunden an das Material, das ihm gegeben ist, und die darin wirksame erste

Formkraft: niemand kann aus sich etwas machen, was er nicht von Natur aus ist.

Nur *eine* bildende Kraft gibt es, die entgegen allen bisher genannten nicht an die Grenzen der Natur gebunden ist, sondern die innere Form selbst noch von innen her umformen kann: das ist die *Kraft der Gnade.* (F 76)

(Die leitende Idee war), daß die frei entfaltete und recht gebildete weibliche Natur fähig sei zu eigener Kulturleistung, zu einer Leistung, nach der unsere Zeit verlangt, weil sie geeignet ist, die offen zutage liegenden Schäden der *männlichen* abendländischen Kultur auszugleichen: zu echter Menschenbildung und helfender Liebestätigkeit. (F 113–114)

Beruf und Berufung:
Zur Frage der Frauenarbeit

Wohltuend unvoreingenommen und erfahrungsgeprägt spricht Edith Stein über die Frau im Beruf oder sogar im Doppelberuf der Familie und außerhäuslichen Aufgabe (was ja ihre verwitwete Mutter lange Jahre zu erfüllen hatte). Hier sind große geistige Umstellungen zu leisten, um den Frauenberuf nicht von vornherein abzuwerten. Denn hinter der Festschreibung der Frau auf Heim und Herd können – neben sachlichen und redlichen Gründen – auch vier abträgliche Motive stehen: das gedankenlos-zynische Gerede vom schwachen oder schönen Geschlecht; das romantische Frauenideal außerhalb aller Wirklichkeit; die rein biologische (Ver)Wertung des „Weibes"; schließlich eine Wirtschaftslage, welche Frauenarbeit zum gegenwärtigen Zeitpunkt nicht braucht.[1]

Tatsächlich gibt es für Edith Stein keine grundsätzliche Beschränkung der Frau weder auf die Familie noch auf bestimmte „weibliche" Berufe, obwohl sie solche tendenziell etwa bei der Ärztin und Lehrerin gegeben sieht. „Keine Frau ist ja nur Frau, jede hat ihre individuelle Eigenart und Anlage so gut wie der Mann (...) Prinzipiell kann die individuelle Anlage auf jedes beliebige Sachgebiet hinweisen, auch auf solche, die der weiblichen Eigenart fernliegen."[2]

Edith Stein plädiert gerade von ihrem eigenen politisch-sozialen Interesse her für die Einarbeitung der Frau in das Staatsleben und seine Berufe, wofür ja der Zutritt erst seit 1919 offen war, also die Mühe einer ganz neuen Schulung auf sich genommen werden mußte.[3] Tatsächlich könnte das konkrete Denken der Frau etwa in der Gesetzgebung[4] ein hilfreiches, weil menschliches Gegengewicht gegen das

Parteiendenken der Männer bilden. Hier liegt überhaupt der Eigenwert fraulicher Gestaltung des Berufes: eben im Einbringen des Konkret-Menschlichen (wohinter der für Edith Stein so wichtige Gedanke der unersetzlichen Mütterlichkeit der Frau steht).

Umgekehrt ist es auch für die Frau vorteilhaft, sich dem Berufsleben offenzuhalten, weil es eine ihrer Schwächen ausbalanciert: Die Anlage zum Gemüthaften wird durch die Schulung zum sachbetonten Arbeiten nicht nur in Schranken gehalten, sondern dadurch erst eigentlich schätzenswert. Die Frau verleiht nicht nur dem männlichen Berufsleben eine menschliche Weite, sondern der Beruf „erzieht" die Frau zur Beherrschung ihrer Fähigkeiten. Schon von daher, also um der eigenen Entbindung aller Kräfte willen, sollte jedes Mädchen eine gründliche Ausbildung im Beruf erhalten [5], selbst wenn es ihn aus anderen Gründen und Bindungen nicht ausüben würde. Freilich hängt ein solcher Beruf in seiner lösenden Qualität davon ab, ob er der Berufung, den eigenen Kräften entspricht.

Die „Doppellast von Berufs- oder oft nur Erwerbsarbeit und Familienpflichten" [6] war Edith Stein dabei durchaus gegenwärtig; sie kennt auch deren entfremdende Formen. Einen Rat für diese häufig aufgenötigte Lebensform gibt sie nicht, rät aber deswegen noch nicht vom Berufsleben der Frau ab. Vielmehr sieht sie eine Stütze für die Überforderung in einem religiös aufmerksamen Leben, dessen Kraft aus der Selbstvergessenheit und Überantwortung der Sorgen nach oben stammt. [7]

Deutlich wird, daß Edith Stein die Forderungen, ja Nötigungen der Zeit gegenüber der Frau sieht, kein Ausweichen davor mehr als möglich erkennt, vielmehr die wirkliche Wappnung durch Frauenstudium und -beruf nachhaltig fordert. Das Wirken der Frau in der Öffentliehkeit ist ihr sichtlich ein offenbar gewordenes Anliegen der Zeit.

In der Natur des Menschen also ist seine Berufung vorge-zeichnet und sein Beruf, d. h. das Wirken und Schaffen, zu dem er bestimmt ist; der Weg des Lebens bringt ihn zur Reife und macht ihn den Menschen deutlich, so daß sie den *Ruf* aussprechen können – in dem Glücksfall, daß jemand *seinen Platz* im Leben findet. Die *Natur des Menschen* und sein *Lebensweg* aber sind kein Geschenk und Spiel des Zu-falls, sondern – mit den Augen des Glaubens betrachtet – Gottes Werk. Und so ist letztlich der, der beruft, Gott selbst. Er ist es, der beruft: *jeden* Menschen zu etwas, wozu jeder berufen ist, jeden *einzelnen* zu etwas, wozu er ganz persönlich berufen ist, und überdies noch *Mann und Weib* als solche zu etwas Besonderem.   (F 18)

Jede Frau hat individuelle Anlagen und Gaben und darin die Anwartschaft auf einen besonderen Beruf, abgesehen von ihrem weiblichen. Berücksichtigung der Individualität ist eine Forderung, die für alle Erziehung zu stellen ist. (F 77)

Der Beruf ist die Stelle, an der sich der einzelne in die Ge-meinschaft eingliedert, oder die Funktion, die er im Ge-meinschaftsorganismus zu erfüllen hat. Die besondere Aufgabe der berufstätigen Frau ist es, ihren Frauenberuf mit dem Sonderberuf zu verschmelzen und diesem Sonderberuf dadurch ein weibliches Gepräge zu geben.   (F 86)

Wollen wir noch erwägen, ob nach natürlicher Ordnung eine Verteilung der Berufe in der Art zu fordern sei, daß ge-wisse Berufe nur den Männern, andere nur den Frauen vor-behalten werden sollten (manche eventuell beiden offen stehen). Ich glaube, daß auch diese Frage zu verneinen ist, und zwar mit Rücksicht auf die starken individuellen Differenzen, die manche Frauen stark dem männlichen Typus und manche Männer stark dem weiblichen Typus annähern und es mit sich bringen, daß jeder „männliche" Beruf auch von gewissen Frauen, jeder „weibliche" auch von gewissen Männern durchaus sachgemäß ausgeübt werden kann.

Darum scheint es mir angemessen, hier keinerlei gesetzliche Schranken zu ziehen, sondern nur durch eine naturgemäße Erziehung, Bildung und Berufsberatung darauf hinzuwirken, daß eine naturgemäße Berufswahl getroffen wird, und durch strenge, sachliche Anforderungen ungeeignete Elemente auszuschalten. Für den Durchschnitt wird sich eine Teilung dann ganz von selbst ergeben, denn daß eine spezifische Eignung für gewisse Berufe hier und dort vorhanden sein muß, ist bei der Verschiedenheit der Naturen klar.

Wo es auf körperliche Kraft, auf überwiegende abstrakte Verstandestätigkeit oder selbständige schöpferische Leistung ankommt, da haben wir vorwiegend männliche Berufe, also in der schweren körperlichen Arbeit in Industrie, Handwerk, Landarbeit; in der Wissenschaft in den sogenannten exakten Fächern: Mathematik, mathematische Physik, und darum auch in der Technik; ferner auch im mechanischen Büro- und Verwaltungsdienst, auf gewissen Gebieten der Kunst (nicht auf allen). Überall wo Gemüt, Intuition, Einfühlungs- und Anpassungsfähigkeit in Frage kommen, überall wo es den *ganzen Menschen* gilt: ihn zu pflegen, zu bilden, ihm zu helfen, ihn zu verstehen oder auch sein Wesen zum Ausdruck zu bringen – da ist ein Wirkungsfeld für echt weibliche Betätigung, also in allen erzieherischen und Pflegeberufen, in aller sozialer Arbeit, in den Wissenschaften, die Menschen und menschliches Wirken zum Objekt haben, in den Künsten, bei denen es auf Menschendarstellung ankommt, auch im Geschäftsleben, in

Staats- und Gemeindeverwaltung, soweit es dabei vornehmlich auf Verkehr mit Menschen und Fürsorge für sie ankommt. (F 40–41)

Daß Frauen imstande sind, andere Berufe als den der Gattin und Mutter auszuüben, das hat wohl auch nur unsachliche Verblendung bestreiten können. Die Erfahrung der letzten Jahrzehnte und im Grunde doch die Erfahrung aller Zeiten hat es bewiesen. Man darf wohl sagen: Im Notfall kann jede normale und gesunde Frau einen Beruf ausüben. Und: Es gibt keinen Beruf, der nicht von einer Frau ausgeübt werden könnte. Wenn es gilt, vaterlosen Kindern den Ernährer zu ersetzen, verwaiste Geschwister oder alte Eltern zu ernähren, dann kann eine opfermutige Frau die erstaunlichsten Leistungen vollbringen. Aber auch individuelle Begabung und Neigung können zur Betätigung auf den verschiedensten Gebieten führen. Keine Frau ist ja nur *Frau*, jede hat ihre individuelle Eigenart und Anlage so gut wie der Mann und in dieser Anlage die Befähigung zu dieser oder jener Berufstätigkeit künstlerischer, wissenschaftlicher, technischer Art usw. Prinzipiell kann die individuelle Anlage auf jedes beliebige Sachgebiet hinweisen, auch auf solche, die der weiblichen Eigenart fernliegen. (F 7)

Das Vorhandensein *aller* Kräfte, die der Mann besitzt, auch in der weiblichen Natur – mögen sie auch durchschnittlich in anderm Maß und Verhältnis auftreten – ist eine Anweisung, sie in der ihnen entsprechenden Tätigkeit zu gebrauchen. Und wo der Kreis der häuslichen Pflichten zu eng ist, um die volle Auswirkung der Kräfte zu gestalten, da ist ein Hinausgreifen über diesen Kreis das Natur- und Vernunftgemäße. Die Grenze scheint mir da zu liegen, wo durch die berufliche Tätigkeit das häusliche Leben, d. h. die Lebens-

und Erziehungsgemeinschaft von Eltern und Kindern, gefährdet wird. Schon die Steigerung der beruflichen Tätigkeit des Mannes zu einem Grade, der ihn dem Familienleben ganz entzieht, scheint mir der göttlichen Ordnung zu widersprechen; von der Tätigkeit der Frau gilt das in erhöhtem Maß. Darum muß ein sozialer Zustand, in dem durchschnittlich die verheirateten Frauen zu einer Erwerbstätigkeit außer dem Hause genötigt sind, die ihnen die Führung des Hauses unmöglich macht, als krankhaft bezeichnet werden. (F 39)

Viele von den Besten fast erdrückt unter der Doppellast von Berufs- oder oft nur Erwerbsarbeit und Familienpflichten; immer in Aktion, abgehetzt, nervös, gereizt: wo sollen sie die innere Ruhe und Heiterkeit hernehmen, um andern Halt, Stütze, Führung zu bieten? Täglich kleine Reibungen im Verkehr mit Mann und Kindern, auch bei großer, gegenseitiger Liebe und Anerkennung der Leistungen, Unbehagen im ganzen Hause, Lockerung der häuslichen Gemeinschaft sind die Folge. Daneben die vielen Oberflächlichen und Haltlosen, die dem Genuß nachjagen, um die innere Leere auszufüllen, Ehen schließen und lösen, Haushalt und Kinder sich selbst oder fremden Dienstboten überlassen, die nicht gewissenhafter sind als sie; wenn sie zur Erwerbstätigkeit genötigt sind, sie nur als Mittel zum Zweck, d. h. zum Unterhalt und möglichst ausgiebigen Lebensgenuß verrichten: bei ihnen kann weder von Beruf noch von Ethos die Rede sein. Sie sind wie Flugsand, der sich treiben läßt. Die Zerrüttung des Familienlebens, der Niedergang der Moral hängt mit dem Überhandnehmen dieser Gruppe wesentlich zusammen und wird nur gehemmt werden können, wenn es mit Hilfe einer geeigneten Mädchenerziehung gelingt, ihre Zahl zu verringern. Nehmen wir schließlich die nicht geringe Zahl derer, die nach Anlage und Neigung einen Beruf ergreifen und darin Tüchtiges leisten, so finden sich unter ihnen gar manche, die nach anfänglicher Befriedigung die Entdeckung machen, daß ihre Erwartungen nicht erfüllt wurden, und sehnsüchtig nach etwas anderem ausschauen. Vielfach liegt es sicherlich daran, daß sie bemüht waren, ihren Posten „ganz wie ein Mann" auszufüllen; sie haben die Mittel und Wege nicht gesucht oder auch nicht gefunden, ihre weibliche Eigenart im Berufsleben fruchtbar werden zu lassen, und die verleugnete, unterdrückte Natur macht sich geltend. (F 12–13)

Diesem traurigen Durchschnittsbild gegenüber kann man doch in allen Lebenskreisen wahre Heldinnen finden, die im Familien- wie im Berufsleben und in der Verborgenheit des Klosters Wunder an Arbeitsleistungen verrichten. Jeder von uns kennt sie aus den Annalen der Kirche, aber auch wohl aus der eigenen Erfahrung: die Mütter, von denen alle Wärme und alles Licht des Hauses ausstrahlt, die neun eigene Kinder erziehen und ihnen eine Fülle des Segens auf ihren ganzen Lebensweg und für die kommenden Geschlechter mitgeben und dabei ein weites Herz behalten für alle fremde Not; die kleinen Lehrerinnen und Beamtinnen, die von ihrem Gehalt eine ganze Familie erhalten, vor und nach der Berufsarbeit häusliche Geschäfte besorgen und dabei noch Zeit und Geld für die verschiedensten kirchlichen und karitativen Zwecke herausbringen können; die Klosterfrauen, die in nächtlichem Gebet um gefährdete Seelen ringen und mit freiwilligen Bußübungen für die Sünder eintreten. Woher kommt ihnen allen die Kraft zu Leistungen, die man oft natürlicherweise für unmöglich erklären möchte, und dabei jene unzerstörbare Ruhe und Heiterkeit auch bei der stärksten Nerven- und Seelenbelastung?

Nur durch die Kraft der Gnade kann die Natur von ihren Schlacken befreit, in Reinheit hergestellt und zur Aufnahme göttlichen Lebens freigemacht werden. Und dieses göttliche Leben selbst ist die innere Triebkraft, aus der die Werke der Liebe hervorgehen. (F 13–14)

Darüber hinaus aber darf man sagen, daß auch die Berufe, die ihren rein sachlichen Anforderungen nach nicht mit der weiblichen Eigenart zusammenstimmen und eher als spezifisch männlich anzusprechen wären, doch, mit ihren konkreten Daseinsbedingungen genommen, auf echt weibliche Art ausgeübt werden können. Die Arbeit in einer Fabrik, in einem kaufmännischen Büro, im staatlichen oder städtischen Verwaltungsdienst, in den gesetzgebenden Körperschaften, in einem chemischen Laboratorium oder mathematischen Institut – das alles erfordert Einstellung auf ein totes oder abstrakt-gedankliches Material. Aber in den allermeisten Fällen handelt es sich um Arbeit, die mit andern Menschen zusammenführt, die zum mindesten mit andern im selben Raum, oft in Arbeitsteilung mit ihnen zu verrichten ist. Und damit ist sofort die Gelegenheit zur Entfaltung aller weiblichen Tugenden gegeben. Ja man kann sagen, gerade hier, wo jeder in Gefahr ist, ein Stück Maschine zu werden und sein Menschentum zu verlieren, kann die Entfaltung der weiblichen Eigenart zum segensreichen Gegengewicht werden. Wer weiß, daß ihn an der Arbeitsstätte Hilfsbereitschaft und Teilnahme erwartet, in dessen Seele wird manches lebendig erhalten oder geweckt werden können, was sonst verkümmern müßte. Das ist die eine Art, das berufliche Leben durch die weibliche Eigenart anders zu formen, als es der Mann durchschnittlich tut. Es ist noch eine andere Art möglich. Alles Abstrakte ist letztlich Teil eines Konkreten. Alles Tote dient letztlich dem Lebendigen. Jede abstrakte Tätigkeit steht darum letztlich im Dienst eines lebendigen Ganzen. Wer es vermag, sich den Blick auf dieses Ganze zu verschaffen und lebendig zu bewahren, der wird sich ihm auch in der ödesten, abstrakten Beschäftigung verbunden fühlen, und diese Beschäftigung wird ihm dadurch erträglich werden, sie wird in vielen Fällen auch sachlich besser und sinngemäßer ausfallen, als wenn man über dem Teil das Ganze aus dem Auge verliert. Der Mann wird bei Gesetz oder Verordnung vielleicht auf die vollkommenste juristische Form hinarbeiten und dabei eventuell die konkreten Verhältnisse wenig bedenken, die es zu regeln gilt, während die Frau, wenn sie ihrer Eigenart auch im Parlament oder Verwaltungsdienst treu bleibt, vom konkreten Zweck ausgehen und das Mittel ihm anpassen wird.

So könnte das Eindringen der Frauen in die mannigfaltigsten Berufszweige zum Segen für das gesamte soziale Leben, das private und das öffentliche, werden, gerade wenn das spezifisch weibliche Ethos gewahrt würde. (F 8–9)

Nun stehen wir vor der Frage, die für unsere Zeit besonders wichtig ist, wie es der unverheirateten Frau außerhalb des Ordens möglich werden soll, ihre Bestimmung zu erfüllen. Ohne Zweifel ist ihre Lage eine besonders schwierige. Entweder hat sie nicht freiwillig, sondern durch die Verhältnisse gezwungen, auf Ehe und Mutterschaft verzichten müssen. Dann lebt in ihr das natürliche Verlangen nach dem Glück des Familienlebens; der Beruf, den sie ergriffen hat, selbst wenn er natürlicher Begabung und Neigung entspricht, erst recht wenn er nur zum Zweck des Erwerbs und vielleicht gar mit Widerstreben übernommen wurde, wird sie schwerlich ganz ausfüllen können. Oder sie hat von Jugend auf den Zug zum jungfräulichen Leben gehabt. Dann ist er zumeist in der Form des Verlangens nach dem Ordensstand aufgetreten und äußere Umstände haben die Erfüllung dieses Wunsches verhindert. In beiden Fällen besteht die Gefahr, daß das Leben als verfehlt angesehen wird, daß die Seele verkümmert und verbittert wird und nicht die Kraft findet zu einem fruchtbaren Frauenwirken. Und dazu kommt, daß allem Anschein nach eine entsprechende Gnadenhilfe fehlt, wie sie für die anderen Frauenwege vorgesehen ist. Einen Lebensweg zu gehen, der mit der eigenen Natur im Widerstreit ist – das ist etwas, was aus natürlicher Kraft kaum geleistet werden kann, ohne daß die Natur und ohne daß die Seele darunter Schaden leidet. Bestenfalls wird es mit müder Resignation ertragen, in der Regel mit Verbitterung und Rebellion gegen das „Schicksal" oder durch Flucht in eine illusionäre Welt. Das, was er nicht selbst gewählt hat, zur Sache der eigenen Wahl machen und frei und freudig durchführen, das wird nur jemand können, der in dem Zwang der Verhältnisse das Walten des göttlichen Willens sieht und auf nichts anderes abzielt als den eigenen Willen in Einklang mit dem göttlichen zu bringen. Wer aber in dieser Weise seinen Willen Gott gefangen gibt, der kann einer besonderen Gnadenführung sicher sein. Wenn man aus der Bahn herausgerissen, wie sie durch Geburt und Erziehung gegeben scheint oder wie man sie für sich selbst erhofft und erstrebt, und in eine ganz andere hineingeschleudert wird, so darf das geradezu als Hinweis auf eine besondere Berufung angesehen werden: eine Berufung nicht auf einen gebahnten und vorgezeichneten Weg, sondern für eine individuelle Aufgabe, die nicht von vornherein fest umrissen dasteht, sondern sich nur Schritt für Schritt enthüllt. Und dem mag es entsprechen, daß die besondere Stärkung für die Aufgaben eines solchen Lebens nicht in einer liturgisch geweihten allgemeinen Lebensform liegt, sondern in der individuellen Führung. Darum ist es hier besonders notwendig, sorgfältig auf die Zeichen zu achten, die den Weg weisen. Dazu gehört einmal, daß man alles tut, was in den eigenen Kräften steht, um sich in Gottes Nähe zu halten. (CF 203–204)

Es ist wichtiger, sich die Bedeutung der außerhäuslichen Berufe klarzumachen, die lange umstritten waren und erst allmählich durch die Kämpfe der Frauenbewegung für die Frauen erschlossen wurden.

Als ein reiches Feld echten Frauenwirkens hat sich der ärztliche Beruf erwiesen, besonders der der praktischen Ärztin, der Frauen- und Kinderärztin. Man hat gegen die Zulassung zu diesem Beruf schwere Bedenken gehabt, weil das Medizinstudium die Mädchen mit vielen Dingen in Berührung bringt, die man ihnen sonst gern ferngehalten hat, und weil schon das Studium, noch mehr aber die Ausübung des Berufs an Körper- und Nervenkraft außerordentliche Anforderungen stellt. Sicherlich gehört eine besondere körperliche und seelische Organisation dazu und jene Liebe zum Beruf, die in jedem erforderlich ist, um die Schwierigkeiten, die ein jeder mit sich bringt, auf sich zu nehmen. Wo diese Bedingungen erfüllt sind, können die Bedenken nicht standhalten. Gewiß ist jene ungetrübte Unschuld, die von den Nachtseiten der menschlichen Natur gar nichts ahnt, von einer rührenden Schönheit, und man wird immer dankbar sein, wenn man ihr begegnet. Aber wie viele Frauen, die in früheren Zeiten bis zur Ehe so bewahrt werden konnten (heute ist ja schon das kaum mehr möglich), sind in der Ehe auf die grausamste Weise plötzlich aller Ideale beraubt worden! Ist hier die nüchterne und sachlich wissenschaftliche Behandlung wenn nicht der absolut beste, so doch noch einer der annehmbarsten Wege, mit natürlichen Tatsachen bekannt zu werden? Und wenn die große Masse der Frauen gezwungen ist, sich praktisch mit diesen Tatsachen auseinanderzusetzen, wenn einige Frauen den Beruf und die Möglichkeit haben, ihren Mitschwestern zur Seite zu stehen, müssen sie nicht alle Opfer bringen, um diesen Beruf zu erfüllen? (F 69–70)

Der Beruf der Lehrerin ist den Frauen nie streitig gemacht worden. Aber auch andere Berufe, die früher als männliches Monopol galten, haben sich durch die Praxis als der weiblichen Eigenart angemessen gezeigt und umgekehrt: sie sind so geartet, daß sie durch eine echt weibliche Behandlung (im guten Sinne) gewinnen können. Ich denke an den Beruf der Ärztin. Ich habe die erfreuliche Wahrnehmung gemacht, daß Frauen, die einmal in der Behandlung einer Ärztin waren, nicht gern wieder sich in andere Behandlung begeben. Dabei mag das Schamgefühl mitsprechen. Aber ich glaube, wichtiger ist noch etwas anderes. Der Kranke, der einen Arzt aufsucht oder zu sich ruft, will in der Regel nicht nur ein bestimmtes Organ von einem bestimmten Übel geheilt haben, er fühlt sich im ganzen Organismus „aus der Reihe", er sucht Heilung für Leib und Seele und verlangt nach einer freundschaftlich eingehenden Teilnahme. Bei dem Hausarzt alten Stils war das zu finden. Aber diese segensreiche Einrichtung ist so gut wie ausgestorben, durch das Spezialistentum verdrängt. Diese Entwicklung ist natürlich nicht rückgängig zu machen. Die medizinische Wissenschaft hat einen solchen Umfang angenommen, daß es nicht mehr möglich ist, alle Zweige wirklich gründlich zu beherrschen. Aber es sollte bei der Spezialbehandlung nicht vergessen werden, daß in den meisten Fällen eben nicht nur ein Organ, sondern mit diesem Organ der ganze Mensch krank ist. Sowohl für die Erkenntnis der Krankheit wie für das Heilverfahren ist es nicht gleichgültig, was für einen Menschen man vor sich hat; die Erscheinungen sind nicht streng dieselben bei jedem Individuum, und erst recht schlägt nicht jedes Mittel bei jedem gleich an. Und außerdem kommt, wie gesagt, die Berücksichtigung des ganzen Menschen dem seelischen Bedürfnis des Kranken entgegen. Solche Berücksichtigung liegt aber, wie wir sahen, im Wesen der Frau. Und wenn sie den ärztlichen Beruf in dieser Weise ausübt, so kann sie weit mehr wirken als die aktuelle Krankheit heilen. Sie erhält Einblick in allerlei menschliche Verhältnisse, sie bekommt materielle und moralische Not zu sehen: ein weites Feld für die Betätigung echten Frauentums, und das heißt zugleich christlicher Caritas. (F 214–215)

Das alte Unterrichtssystem war der Erziehungsarbeit nicht günstig. Das Bestreben, den Unterrichtsstoff als eine Art Enzyklopädie des gesamten zeitgenössischen Wissens zu gestalten, führte zu einer Überlastung mit Material und konzentrierte die Kraft von Lehrern und Schülern auf Übermittlung und Aneignung von Wissen. Das Persönliche trat zurück. Die Einführung des Fachlehrersystems verminderte noch die Möglichkeit intensiver persönlicher Einwirkung. Dieser unpersönliche Betrieb war dem Erziehungsziel ebenso wenig angepaßt wie dem weiblichen Wesen. Und entsprechend bietet die gegenwärtige Umbildung des Schulwesens echtem Frauenwirken größeren Spielraum. Dazu kommt, daß die Zulassung zum akademischen Studium den Frauen das Lehramt an höheren Schulen und einen bestimmenden Einfluß auf die Mädchenbildung und -erziehung zurückerobert hat. Wir finden heute vielfach schon Führungsverhältnisse zwischen Lehrerinnen und Schülerinnen, nicht nur in Internaten, wo es dergleichen immer gab, Beziehungen, die die Schulzeit überdauern und maßgebend fürs Leben werden. Manche Mütter würden viel darum geben, wenn ihr Kind ihnen seine Seele so erschließen würde und sich so bereitwillig lenken ließe, wie es das der Lehrerin gegenüber tut. So starke Einflußmöglichkeiten bedingen natürlich eine hohe Verantwortung. In den Händen einer ungeeigneten Persönlichkeit bedeuten sie eine große Gefahr. Die Frau, die im Beruf die Ausfüllung ihres ganzen Lebens sucht, etwas Analoges, wie es die Gattin und Mutter im Familienleben findet, wird in Gefahr sein, junge

Menschen in einer verkehrten Weise an sich zu fesseln (wie es ja so manche Frau auch den eigenen Angehörigen gegenüber in unheilvoller Weise versucht). Daß eine herzliche Zuneigung von beiden Seiten sich herausbildet, liegt in der Natur der Sache und ist an sich etwas Gutes und Schönes. Wenn aber die Freiheit des Geistes und der Seele auf der einen oder anderen Seite oder bei beiden verlorengeht und wenn das Ziel der möglichst vollkommenen Entfaltung des Menschentums in natürlichem und übernatürlichem Sinne aus dem Auge verloren ist, dann ist die Grenze heilsamen Wirkens überschritten. (CF 196–197)

Ich möchte nur noch erwähnen, wie auch im *politischen Leben* der Eigenwert der Frau fruchtbar zur Geltung kommen kann. Bei der *Gesetzgebung* besteht immer die Gefahr, daß „vom grünen Tisch" aus entschieden wird, daß man möglichst vollkommene Paragraphen drechselt, ohne sich die wirklichen Verhältnisse und die Folgen in der Praxis deutlich genug vor Augen zu führen. Der weiblichen Eigenart widerstrebt dies abstrakte Verfahren, es entspricht ihr, auf das Menschlich-Konkrete zu achten, und so kann sie hier als Korrektiv dienen. Auch als Gegengewicht gegen eine andere Entartung der *männlichen Sachlichkeit* hat sie sich schon als segensreich erwiesen. Die *Sache,* die für den Politiker vielfach an erster Stelle steht, der er sich verschrieben hat, ist seine Parteisache. Und das kann nun bei der Behandlung irgendeines Gesetzentwurfs zur höchsten Unsachlichkeit führen. So bestand vor Jahren bei der Beratung des Jugendgesetzes die Gefahr, daß der Entwurf an dem Gegensatz der Parteien zum Scheitern käme. Da taten sich die Frauen der verschiedenen Parteien zusammen und brachten einen Ausgleich zustande. So siegte das echt weibliche Verlangen, menschlicher Not abzuhelfen, über die Enge des Parteistandpunktes. Wie in der Gesetzgebung so kann auch bei der Anwendung des Gesetzes, im *Verwaltungsdienst,* die weibliche Eigenart segensreich wirken, wenn sie dahin führt, nicht abstrakt den Buchstaben des Gesetzes zur Geltung zu bringen, sondern den Menschen gerecht zu werden. (F 216–217)

Ich möchte auch auf die Frauen hinweisen, die in Gemeinde- und Staatsverwaltung und in den Parlamenten sich als „Mütter des Volkes" betätigen können und schon betätigt haben. Man muß einmal einen Einblick gewonnen haben, wieviel Hilfesuchende sich täglich, persönlich und brieflich, mit den verschiedensten Anliegen an eine solche Frau wenden, um sich zu überzeugen, welch reiches Feld für echtes Frauenwirken, auch abgesehen von den unmittelbaren Dienstpflichten, hier erschlossen ist. Gewiß besteht hier die Gefahr der Befriedigung von Eitelkeit und Machtgelüsten, der persönlichen Begünstigung. Aber in den rechten Händen können die zur Verfügung stehenden, durchaus legitimen Möglichkeiten in der segensreichsten Weise zur Abwehr mannigfacher Not ausgenutzt werden. Aber auch die unmittelbaren Aufgaben der Gesetzgebung und Verwaltung erfordern weibliche Mitarbeit: wo es gilt, Gesetze über Materien, die in erster Linie Frauensachen sind (etwa Rechtsschutz von Frauen, Jugendfürsorge und dgl.) zu beraten, zu beschließen und zur Anwendung zu bringen. Muß auch dabei öfters am grünen Tisch, nicht Auge in Auge mit Menschen, gearbeitet werden, so wird es der rechten Frau doch immer naheliegen, nicht rein abstrakt und formal zu verfahren, sondern sich in die konkreten Lebensverhältnisse zu versetzen und sie zu berücksichtigen. Natürlich dürfen auch die allgemeinen und formalen Gesichtspunkte nicht unberücksichtigt bleiben. Und so kann hier ein Zusammenarbeiten von Männern und Frauen besonders fruchtbar sein. (CF 197)

Schließlich kann die Frau ganz unabhängig von dem Beruf, in dem sie steht, ob er ihrer Eigenart entgegenkommt oder nicht, an jedem Platz ihren Eigenwert wirken lassen und damit Segen stiften. Überall kommt sie mit Menschen zusammen, überall wird sie Gelegenheit finden, zu stützen, zu raten, zu helfen. Wenn die Fabrikarbeiterin oder die Büroangestellte nur darauf achten will, wie es den Menschen zumute ist, die mit ihr im selben Raum arbeiten, so wird sie durch ein freundliches Wort, eine teilnehmende Frage es bald dahin bringen, daß sich ihr mühsalbeladene Herzen öffnen, sie wird herausbringen, wo der Schuh drückt, und wird Abhilfe schaffen können. Überall besteht das Bedürfnis nach mütterlicher Teilnahme und Hilfe, und so können wir auch in dem *einen* Wort *Mütterlichkeit* das zusammenfassen, was wir als Eigenwert der Frau entwickelt haben. Nur muß es eine Mütterlichkeit sein, die nicht bei dem engen Kreis der Blutsverwandten oder der persönlichen Freunde stehenbleibt, sondern nach dem Vorbild der *Mutter der Barmherzigkeit* für alle da ist, die mühselig und beladen sind, sie muß ihre Wurzel haben in der weltweiten göttlichen Liebe.

(F 217)

Sie können das zunächst in ihrem Beruf als *Mutter.* Mütter, die auf dem Boden einer festen Weltanschauung stehen, die wissen, *wozu* sie ihre Kinder erziehen sollen, die den freien Blick für die Entwicklungsmöglichkeiten ihrer Kinder haben, aber auch den unbestechlichen Blick für die gefährlichen Triebe in ihnen, die beschnitten werden müssen, und mit kraftvoller Hand im rechten Augenblick zugreifen; aber auch Mütter, die sich zu bescheiden wissen, die nicht meinen, alles selbst machen zu müssen, sondern ihre Kinder mutig aus der Hand geben und in Gottes Hand legen können, wenn die Zeit kommt, wo sie ihnen entwachsen sind – sie sind wohl das Wichtigste für die Gesundung des

Volkes. Die Aufgabe, ganzem Menschentum zum Sieg zu verhelfen, hat die Frau vielfach auch dem Gatten gegenüber. Wenn er aus seiner Berufstätigkeit kommt, hat er im allgemeinen das Bedürfnis, „auch einmal Mensch zu sein", aber oft nicht mehr die Kraft, es aus sich in der rechten Weise sein zu können. Sache der Frau ist es dann, dafür zu sorgen, daß er nicht in flachen oder gefährlichen Zerstreuungen den Ausgleich sucht, nach dem er verlangt. Ein schönes Heim schafft zunächst die Atmosphäre, in der die Seele aufatmen kann. Und dann müssen ihr in der rechten Form die Werte nahegebracht werden, nach denen sie verlangt. Takt und Feinfühligkeit müssen herausfinden, was im Augenblick angebracht ist. Vor allem muß oft durch die Mutter das rechte Verhältnis zwischen dem Vater und den Kindern vermittelt werden, das für beide Teile von höchster Bedeutung ist. Und in ungezählten Fällen ist es die schwere, dornenvolle Aufgabe der Frau, den religiös gleichgültigen oder ablehnenden Mann für den Glauben zu gewinnen. (F 212)

Wir fassen zusammen: Ein echter Frauenberuf ist jeder Beruf, in dem die weibliche Seele zu ihrem Recht kommt und der durch die weibliche Seele geformt werden kann. Das innerste Formprinzip der weiblichen Seele ist die Liebe. (F 15)

Das biblische Spannungsfeld
zwischen den Geschlechtern
und seine (Er-)Lösung

Noch ohne die Hilfsmittel der historisch-kritischen Exegese arbeitet Edith Stein an dem Quellentext ihrer Überzeugung, den beiden Testamenten. Es spricht für ihre gedankliche Schärfe, daß sie im aufmerksamen Hören auf die Schrift jedoch einen wichtigen Grundsatz moderner Exegese bereits anwendet: die Aussagen einzuordnen nach ihrer Gewichtigkeit. Sie sucht grundsätzlich, Zeitverhaftetes (wie in manchen Paulusbriefen) vom Gültig-Verbindlichen zu unterscheiden. Das bedeutet einen Maßstab, vor dem diese sachliche Unterscheidung von menschlichem, sogar irrtümlichem, und göttlichem Wort in der Schrift sich ausweisen muß. Das bedeutet weiterhin keine furchtsame Auslegung der Bibel, sondern zweierlei: das Erschließen der Gegenwart durch die Offenbarung, damit sich die Not der Zeit selbst besser vor diesem aufhellenden Licht versteht; und: die Rückfrage des heute Andrängenden an den heiligen Text, damit er selbst wirklich in seiner Tiefe aufgeht und nicht von dem bisher üblichen Lesen verdeckt, unentbunden bleibt. Freilich hält sich Edith Stein an manchen Stellen selbst nicht frei von einer gewohnten kulturgeschichtlichen Lesart, die etwa die „normale" geschichtliche Unterordnung der Frau biblisch begründen möchte. Zugleich weht aber ein freier Atem in der Deutung, der im Entscheidenden diese Unterordnung, die ja leicht in einen geringeren Wert abgleitet, nicht mehr als gültig ansieht. Von welchem Maßstab her wird nun gedacht?

Edith Steins Maßstab ist der *ursprüngliche* Wille Gottes. Dieser erweist sich zweimal in Reinheit: im Anfang der Schöpfung und in der Erlösung an der Gestalt Jesu.

Die Schöpfung wurde aber vom Menschen verdorben und die Gestalt Jesu wurde von der menschlichen Geschichte nur unvollständig begriffen. Trotzdem gilt das Ursprüngliche: als Anspruch, dem die Gegenwart neu zu entsprechen hat.

So gibt der erste Schöpfungsbericht (Gen 1, 26–28) nach Edith Stein ausdrücklich einen dreifachen *gemeinsamen* Auftrag an Mann und Frau: „Gottes Ebenbild zu sein, Nachkommenschaft hervorzubringen und die Erde zu beherrschen."[1] Eine Unterscheidung beider erfolgt im zweiten Schöpfungsbericht (Gen 2, 18–23), wo Eva die „Hilfe" Adams genannt wird, im Urtext „eser kenegdo", „eine Hilfe wie ihm gegenüber". Edith Stein deutet diese Hilfe entweder als „Spiegelbild" der Natur des Mannes oder als „Pendant" im Sinne der Ergänzung, nicht als Unterwerfung unter die männliche Herrschaft.[2] Erst im Sündenfall (dessen Verführung Edith Stein in einer ungeordneten Sexualität sieht), „kommt für die Frau als Strafe die Unterwerfung unter die Herrschaft des Mannes"[3] – im verdorbenen Zustand also. Entstellt werden mit dem Fall auch die drei gemeinsamen Aufträge des Anfangs; es entstehen drei Fehlformen des ursprünglichen Verhaltens zu sich und Gott, zum Kind und zur Erde. Damit ist der gefallene Zustand ver-rückt und keineswegs richtig. Im Gegenteil: Gott selbst „richtet" ihn wieder, im Doppelsinne von Geraderichten und Verwerfen.

Dies geschieht in der Erlösung. Wenn sie etwas Genaueres heißen will und nicht nur Ungefähres, dann bedeutet sie nichts anderes als die Wiederherstellung des ursprünglichen Auftrags, damit die rechte Zuordnung von Mann und Frau, insbesondere die Aufhebung des Genesisfluches: der weiblichen Unterwerfung, der männlichen Entartung. Die gemeinsame Grundausstattung ist nicht nur wieder erneuert, sie ist durch die Gestalt Jesu selbst verbürgt. Bei den Stellen der Schrift, welche vom Geschlechterverhältnis handeln, unterscheidet Edith Stein jeweils den Hinblick, unter dem sie ausgesagt wurden, entweder im Hinblick auf den gefallenen, unrichtigen oder im Hinblick auf den ursprünglichen, erlösten Zustand. Insbesondere Vorschriften des Alten Testaments zu Stellung und Verhalten der Frau (etwa in Mose 3), aber auch Vorschriften in den Apostelbriefen sind ihr unter dem Vorbehalt der gefallenen Natur der Frau geschrieben und damit zeitgebunden, vielleicht historisch sinnvoll, aber nicht auf Dauer gültig. Die Worte Jesu und andere Apostelaussagen zeigen jedoch in Klarheit Wirklichkeit und Wirksamkeit der Erlösung gerade auch für die Frau (wie für den Mann) an. Diese Unterscheidung ist unerläßlich, um den scheinbaren Widersprüchen der Schrift gerecht zu werden: sie tauchen nur auf, wenn diese grundlegenden Entwicklungen, von der Schöpfung über den Fall zur Erlösung, nicht begriffen worden sind, d. h. wenn das Wort Gottes selbst nicht ernst genommen wird. Und Edith Stein macht keinen Hehl daraus, daß die Ordnung des Evangeliums die nunmehr gültige und lebenswerte sei, welche die Ordnung des alten Gesetzes aufhebe.

Gerade die umstrittenen Paulusbriefe an die Korinther, Epheser und an Timotheus dienen ihr zum Erweis dieser These. (Epheser- und Timotheus-Briefe werden heute nicht mehr Paulus zugeschrieben, was aber in der Sache nichts verändert). Edith Stein unterscheidet Paulus von Paulus, und zwar durchgängig, nämlich mit der Frage, ob er „Göttliches und Menschliches, Zeitliches und Ewiges vermischt"[4]. Wo dies der Fall ist, wie im ersten Korintherbrief, kommt der Apostel aus seiner eigenen menschlichen Geschichte, nämlich aus der Prägung durch „das mosaische Gesetz und das römische Recht", nicht aber aus der Erlösungsordnung.[5] Diese kühne und freie Deutung stützt sich auf denselben Korintherbrief, in dem Paulus durchaus auch den Maßstab Jesu zu Wort bringt: „Der ungläubige Mann ist durch das gläubige Weib geheiligt" (1 Kor 7,14). Nicht Biologie, sondern Glaube erlaubt die Mittlerschaft zu Gott für den anderen: hier ist Paulus der eigentliche Sprecher des Gültigen, und zwar im Widerspruch zu seiner sonstigen Herkunft.

Ferner die Stelle im Epheserbrief (Eph 5,22f): „Die Frauen sollen ihren Männern unterworfen sein wie dem Herrn. Denn der Mann ist des Weibes Haupt, wie Christus das Haupt der Kirche ist." Edith Stein läßt nur die *religiöse* Bedeutung des Vergleichs stehen: Christus als Haupt der Kirche. Der Alltagsbezug ist aber damit keineswegs in derselben Weise gültig, ja widerspricht sogar der Erfahrung (hier spricht die mit vielen Eheproblemen vertraute Psychologin): „Der Mann *ist* nicht Christus und hat nicht die Kraft, Glauben zu verleihen. (... Er ist) ein Geschöpf mit manchen Gaben und vielen Mängeln"[6].

Auch im 1. Timotheusbrief (1 Tim 2,9ff), wo es um das Lehrverbot der Frau, ihr Stillhalten und das Heil durch Kindergebären geht, sieht Edith Stein allein die Ordnung der *gefallenen* Natur ausgedrückt, die in Wirklichkeit auch bei Paulus selbst schon gedanklich überwunden ist: „Es ist nicht Jude noch Grieche, nicht Sklave noch Freier: es ist weder Mann noch Weib. Denn alle seid ihr eins in Christo Jesu."[7]

Es gehört zur Schärfe von Edith Steins Blick, auch zu sehen, daß dieser endzeitliche Zustand der Erlösung noch nicht in der Geschichte angelangt ist, sondern sich nur auf dem Wege mühsam genug durchkämpft. Für die einzelne Frau, den einzelnen Mann ist der „Heilsweg" bereits zu erreichen, nämlich durch die „Rückkehr ins Kindesverhältnis"[8]. Im Alten Testament war dieser Weg durch das „Gesetz" bestimmt, das seinerseits noch Strafe meint, aber in der Strafe auch schon den Fall anfängt zu löschen. Im Neuen Testament beginnt menschliche Geschichte aber überhaupt neu: „Für diesen Heilsweg gibt es keinen Unterschied des Geschlechtes. Von hier aus kommt das Heil für beide Geschlechter und für ihr Verhältnis zueinander."[9]

Gerade christliche Geschichte ist verpflichtet, die Wahrheit dieses Neuen zu gestalten. Ende der 20er Jahre dieses Jahrhunderts sieht Edith Stein die Gesundung der Geschlechterbeziehung allgemein im Wachsen: wenigstens durch das andrängende Bewußtsein von der grundsätzlich gleichen Ausstattung von Mann und Frau. Die Schrift könnte dieses Bewußtsein durch ihre ausnehmende Autorität in reicher Vertiefung stützen: über alles subjektive Wollen hinaus den Charakter des Wahren offenlegen.

Als Mann und Weib erschuf er sie" und schuf das Weib für den Mann als seine „Hilfe wie ihm gegenüber" *(eser kenegdo):* als seine andere Hälfte, in der er sein eigenes Bild anschauen, sich selbst wiederfinden könnte, die mit ihm zusammen den Platz über allen anderen Geschöpfen der Erde einnehmen sollte, unter denen keines sein *pendant* sein konnte; die mit ihm zusammen fortzeugend den gesamten Organismus der Menschheit aufbauen sollte. Hier ist der Ort, darüber Klarheit zu suchen, was Thomas wohl meint, wenn er den Mann *Prinzip und Ziel des Weibes* nennt. *Prinzip* ist einmal das, woraus ein anderes hervorgeht. So bezeichnet es die Tatsache, daß das Weib aus dem Manne gemacht wurde. Es bezeichnet ferner das erste als das Übergeordnete, dem das zweite untergeordnet ist. Dem entspricht das Pauluswort, daß der Mann des Weibes Haupt sei. *Ziel* ist einmal das, worauf ein anderes hinstrebt, worin es zur Ruhe kommt und Erfüllung findet. Darin ist ausgedrückt, daß der Sinn des weiblichen Seins sich in der Vereinigung mit dem Manne erfüllt. Es bezeichnet ferner das, um dessentwillen ein anderes da ist. So besagt es, daß das Weib um des Mannes willen erschaffen ist, weil er ihrer bedarf, um den Sinn seines Seins zu erfüllen. Es scheint mir nicht darin zu liegen, daß das Weib *nur* um des Mannes willen geschaffen sei; denn jedes Geschöpf hat seinen eigenen Sinn, und das ist seine eigentümliche Weise, Abbild des göttlichen Wesens zu sein. Es war ja auch sehr wohl möglich, die Fortpflanzung des Menschengeschlechtes auf anderem Weg als über das Geschlechterverhältnis zu erreichen, wenn nicht diesem Verhältnis selbst ein eigener Sinn und Wert zukäme. Ich sehe auch in dem „um des Mannes willen" keine Erniedrigung, wenn es nicht in dem Sinne mißverstanden wird, wie es erst nach der Entartung beider Geschlechter durch den Fall mißverstanden werden konnte: dem Manne als Mittel zur Erreichung seiner Zwecke und zur Befriedigung seiner Lust zu dienen. Das soll die Gefährtin, die über allen anderen Geschöpfen *ihm gegenüber* steht, nicht sein. Sondern in freier personaler Entscheidung ihm die *Hilfe* sein, die ihm ermöglicht zu werden, was er sein soll. Denn „der Mann ist auch nicht ohne das Weib", und darum muß er „Vater und Mutter verlassen, um dem Weibe anzuhangen". (F 146–147)

In den Zeugnissen des Alten Testaments vom Sündenfall an, d. h. in denen, die mit der *gefallenen* Natur rechnen, werden Ehe und Mutterschaft mit einer gewissen Ausschließlichkeit als Bestimmung der Frau hingestellt, auch als Mittel zur Erreichung des übernatürlichen Ziels: Kinder zu gebären und im Glauben an den Erlöser zu erziehen, um einst in ihnen das Heil zu schauen. (Diese Auffassung klingt noch gelegentlich in den Paulus-Briefen durch).

Das Neue Testament stellt daneben das Ideal der Jungfräulichkeit: an Stelle der ehelichen Gemeinschaft den engsten persönlichen Anschluß an den Heiland, die Entfaltung aller Kräfte in seinem Dienst und geistige Mutterschaft, d. h. die Gewinnung und Bildung von Seelen für das Gottesreich. Man darf diese Scheidung der Berufe nicht so auffassen, als sei im einen Fall allein das natürliche, im andern nur das übernatürliche Ziel ins Auge gefaßt. Auch die Frau, die als Gattin und Mutter ihre natürliche Bestimmung erfüllt, hat ihre Aufgaben für das Gottesreich: zunächst seine äußere Fortpflanzung, dann aber auch das Wirken für das Heil der Seelen, es liegt nur für sie in erster Linie im Kreis der Familie. Andererseits bedarf es auch im völlig gottgeweihten Leben der Entfaltung der natürlichen Kräfte, sie können nur ausschließlicher den Aufgaben des Gottesreiches und damit einem weiteren Umkreis von Menschen zugute kommen. (F 59–60)

Es scheint nicht leicht erkennbar zu sein, wozu Mann und Weib berufen sind, weil es seit langer Zeit so viel umstritten ist. Und doch gibt es eine ganze Reihe von Wegen, auf denen der Ruf zu uns gelangt: Gott selbst spricht ihn aus in den Worten des Alten und Neuen Testaments. In die Natur des Mannes und der Frau ist es eingezeichnet, die Geschichte gibt Aufschluß darüber, und schließlich reden die Erfordernisse unserer Zeit eine eindringliche Sprache. Das gibt ein Gewebe aus mannigfachen Fäden, aber so undurchsichtig dürfte das Muster doch wohl nicht sein, daß sich bei ruhig prüfendem Blick nicht einige klare Linien herausholen ließen. So wollen wir uns denn an die Frage heranwagen: Wozu sind Mann und Frau berufen?

Das erste Wort der *Heiligen Schrift,* das vom Menschen handelt, weist Mann und Frau einen gemeinsamen Beruf zu. (...) Beiden gemeinsam ist die dreifache Aufgabe gestellt: Gottes Ebenbild zu sein, Nachkommenschaft hervorzubringen und die Erde zu beherrschen. Daß dieser dreifache Beruf von jedem auf eine andere Weise zu leisten sei, ist hier nicht gesagt, man kann sie höchsten in der Anführung der geschlechtlichen Trennung in diesem Zusammenhang angedeutet finden.

Ein wenig mehr über das Verhältnis von Mann und Weib sagt die zweite Stelle, die ausführlicher von der Erschaffung des Menschen handelt. Sie erzählt von der Erschaffung Adams, wie er in das „Paradies der Wonne" gesetzt wurde, es zu bebauen und zu bewahren, wie die Tiere ihm zugeführt wurden und von ihm ihre Namen empfingen (Gen 2, 7 f), „... Aber für Adam fand sich keine Gehilfin, die ihm entsprach" (ebd., 20). Der hebräische Ausdruck, der an dieser Stelle steht, ist deutsch kaum wiederzugeben (ebd., 18). *Eser kenegdo* – ganz wörtlich: „eine Hilfe, wie ihm gegenüber". Man kann sich darunter ein Spiegelbild denken, in dem der Mann seine eigene Natur erblicken könnte. So fassen es die Übersetzungen, die von einer „gleichen Gehilfin" sprechen. Man kann aber auch an ein Gegenstück, ein *Pendant* denken, so daß wohl beide einander gleichen, aber doch nicht ganz, sondern so, daß sie einander ergänzen wie eine Hand die andere. (F 18–19)

Von einer *Herrschaft* des Mannes über die Frau ist hier nicht die Rede. *Gefährtin* und *Gehilfin* wird sie genannt, und es wird vom Mann gesagt, daß er ihr anhangen werde und daß beide *ein* Fleisch sein würden. Damit ist angedeutet, daß das Leben des ersten Menschenpaares als die innigste Liebesgemeinschaft zu denken ist, daß sie wie ein einziges Wesen zusammenwirkten in vollkommener Harmonie der Kräfte, so wie in jedem einzelnen vor dem Fall alle Kräfte in voller Harmonie waren. Sinn und Geist im rechten Verhältnis, ohne Möglichkeit eines Widerstreits. Darum kannten sie auch kein ungeordnetes Begehren nach einander. Das liegt in den Worten: Sie waren nackt und schämten sich nicht.

Gottes Ruf an die Menschen und der Menschen Beruf erscheint wesentlich verändert nach dem Fall. (...)

Die Folge des Falls ist die Mühsal des Gebärens für das Weib wie die Mühsal des Daseinskampfes für den Mann. Dazu kommt für die Frau als Strafe die Unterwerfung unter die Herrschaft des Mannes. Daß er kein guter Herr sein wird, zeigt der Versuch, die Verantwortung für die Sünde von sich auf das Weib abzuwälzen. Die ungetrübte Liebesgemeinschaft ist aufgehoben. Aber etwas anderes ist aufgewacht, was sie vorher nicht kannten: sie erkannten, daß sie nackt waren und schämten sich. (F 20–21)

Die Begierde ist in ihnen aufgewacht, und es ist notwendig geworden, sie dagegen zu schützen.

So ist das Verhältnis der Menschen zur Erde, zur Nachkommenschaft und zueinander verändert. Das alles aber ist Folge des veränderten Verhältnisses zu Gott. Der Bericht über Erschaffung und Fall des Menschen ist voller Geheimnisse, die wir nicht lösen werden. Aber es ist wohl nicht vermessen, einige Fragen auszusprechen, die sich aufdrängen, und eine Deutung zu suchen. Warum war es verboten, vom Baum der Erkenntnis zu essen? Welcher Art war die Frucht, von der das Weib aß und dem Mann zu essen gab? Und warum nahte sich der Versucher zuerst dem Weibe? Offenbar war ja der Mensch vor dem Fall nicht ohne Erkenntnis: er, der nach Gottes Bild geschaffen war und allen lebenden Wesen die Namen gab und berufen war, über die Erde zu herrschen. Es wird ihm vielmehr eine viel vollkommenere Erkenntnis zugeschrieben als nach dem Fall. Es muß also eine ganz besondere Erkenntnis gewesen sein, um die es sich handelte. Die Schlange spricht tatsächlich von der Erkenntnis des Guten und Bösen. Nun ist auch keineswegs anzunehmen, daß den Menschen vor dem Fall die Erkenntnis des Guten gefehlt hätte. Sie hatten eine vollkommenere Gotteserkenntnis, d. h. eine vollkommenere Erkenntnis des höchsten Gutes und von daher alles besonderen Guten. Aber bewahrt sollten sie wohl bleiben vor jener Erkenntnis des Bösen, die man gewinnt, indem man es tut.

Die unmittelbare Folge der ersten Sünde gibt einen Anhaltspunkt dafür, worin sie bestanden haben mag: die Folge war, daß Mann und Weib sich mit andern Augen ansahen als vorher, daß sie die Unschuld im Verkehr miteinander verloren hatten. So dürfte die erste Sünde nicht nur rein formal im Ungehorsam gegen Gott bestanden haben, sondern das, was verboten war, was die Schlange dem Weib und das Weib dem Mann als verlockend hinstellte, wird etwas inhaltlich Bestimmtes gewesen sein, und zwar eine Art der Vereinigung, die der ursprünglichen Ordnung widersprach. Daß aber der Versucher sich damit dem Weib zuerst näherte, mag darauf hindeuten, daß er hier leichter Zugang finden konnte, nicht weil das Weib an sich leichter zum Bösen zu bewegen war (von einer Neigung zum Bösen waren ja beide noch frei), sondern weil das, was ihr vorgehalten wurde, für sie an sich von größerer Bedeutung war. Es ist anzunehmen, daß von vornherein ihr Leben stärker von dem ergriffen werden sollte, was auf Erzeugung und Heranbildung der Nachkommenschaft Bezug hat. Darauf weist auch die Verschiedenheit des Strafurteils für den Mann und für die Frau hin.

Mit der Vertreibung aus dem Paradies scheint dem Wortlaut nach der Verlust des eigenen Lebens verbunden: die Worte des Herrn an Adam sprechen aus, was ihm als Strafe des Ungehorsams von vornherein angedroht war, den Tod. Aber der Vertreibung geht ein Wort voraus, das eine Verheißung enthält. Es ist ausgesprochen in dem Strafurteil über die Schlange: „Ich will Feindschaft setzen zwischen dir und dem Weibe, und zwischen deiner Nachkommenschaft und ihrer Nachkommenschaft: sie wird dir den Kopf zertreten, und du wirst ihrer Ferse nachstellen" (Gen 3, 15). Die Stelle wird in der Regel auf die Gottesmutter und den Erlöser gedeutet. Das schließt aber den andern Sinn nicht aus, daß schon dem ersten Weibe, dem Adam den Namen „Mutter aller Lebendigen" gab, und allen ihren Nachfolgerinnen der Kampf gegen das Böse zur besonderen Aufgabe gestellt wurde und damit die Vorbereitung auf die Wiedergewinnung des Lebens. „Gott hat mir einen Sohn gegeben", sprach Eva, als sie ihr erstes Kind geboren hatte. Das klingt wie die Ahnung eines Segens, der ihr in dem Sohn gegeben werden sollte. Und darin sahen auch fernerhin die Frauen Israels ihren Beruf: Nachkommen hervorzubringen, die den Tag des Heils schauen sollten.

So ist eine eigentümliche Verbindung hergestellt zwischen Sündenfall und Erlösung, und merkwürdig entsprechen sich die Tatsachen hier und dort. Wie an ein Weib zuerst die Versuchung herantrat, so kommt die Gnadenbotschaft Gottes zuerst zu einem Weibe, und hier wie dort entscheidet das Ja aus dem Mund eines Weibes über das Schicksal der ganzen Menschheit. Am Eingang des neuen Gottesreiches steht nicht ein Menschenpaar wie das erste, sondern Mutter und Sohn: der Sohn Gottes, der Menschensohn ist durch seine Mutter, aber nicht durch einen menschlichen Vater. Der Gottessohn wählte nicht den gewöhnlichen Weg der menschlichen Fortpflanzung, um Menschensohn zu werden. Liegt darin nicht ein Hinweis auf den Makel, der an diesem Weg von der ersten Sünde her haftet und der erst *im* Gnadenreich getilgt werden konnte? Zugleich ein Hinweis auf den Adel der Mutterschaft als der reinsten und höchsten Verbindung von Menschen? Die Auszeichnung des weiblichen Geschlechts ist es, daß eine Frau *der* Mensch war, der das neue Gottesreich begründen helfen durfte; die Auszeichnung des männlichen Geschlechts, daß die Erlösung durch den Menschen*sohn*, den neuen Adam, kam. Und darin ist wiederum eine Vorrangstellung des Mannes ausgesprochen.

Daß das neue Gottesreich eine Neuordnung des Verhältnisses zwischen den Geschlechtern bringen wollte, d. h. die Verhältnisse beseitigen, die durch den Sündenfall bedingt waren, und die ursprüngliche Ordnung wiederherstellen, hat der Herr unzweideutig ausgesprochen (Mt 19,1–2; Mk 10,1–12). Auf die Frage der Pharisäer, ob es dem Mann erlaubt sei, sich von seinem Weibe zu scheiden, antwortet Jesus: „Moses hat es euch erlaubt ob der Härte eures Herzens willen: von Anfang aber ist es nicht gewesen". Und er verweist auf die Stelle des Schöpfungsberichtes: sie werden zwei in einem Fleisch sein; und stellt als Gebot des neuen Bundes auf: „Was Gott verbunden hat, das soll der Mensch nicht trennen". Daneben aber richtet er als etwas ganz Neues das Ideal der Jungfräulichkeit auf, wie es uns schon durch das lebendige Beispiel der Jungfrau-Mutter und des Herrn selbst vor Augen gestellt ist.

Die ausführlichsten Äußerungen über das Verhältnis von Mann und Frau enthalten die Briefe des hl. *Paulus.* Die vielumstrittene Stelle 1 Kor 11,3 ff lautet: „Ich will aber, ihr sollt wissen, daß jedes Mannes Haupt Christus ist, des Weibes Haupt aber der Mann, Christi Haupt aber Gott. Jeder Mann, der mit verhülltem Haupt betet oder weissagt, schändet sein Haupt. Jedes Weib aber, das betet oder weissagt mit unverhülltem Haupt, schändet sein Haupt: denn es ist, als ob es geschoren würde (...) Der Mann soll sein Haupt nicht verhüllen: denn es ist das Abbild und die Ehre Gottes, das Weib aber ist des Mannes Ehre. Denn der Mann ist nicht aus dem Weibe, sondern das Weib aus dem Mann. Denn der Mann ist nicht des Weibes wegen geschaffen, sondern das Weib des Mannes wegen (...) Doch auch der Mann ist nicht ohne das Weib; noch das Weib ohne den Mann im Herrn." Wir dürften dem Apostel nicht zu nahe treten, wenn wir sagen, daß in dieser Weisung an die Korinther Göttliches und Menschliches, Zeitliches und Ewiges vermischt sind. Haartracht und Kleidung sind Sache der Sitte, wie der hl. Paulus an dieser Stelle auch abschließend sagt. „Wenn aber jemand meint, streitsüchtig sein zu dürfen, der weiß, wir haben einen solchen Brauch nicht, und auch die Kirche Gottes nicht" (1 Kor 11,16). Wenn seine Entscheidung in der Frage, wie die korinthischen Frauen beim Gottesdienst gekleidet sein sollten, für die von ihm gegründete Gemeinde bindend war, so ist damit nicht gesagt, daß sie es für alle Zeiten sein sollte.

Anders ist das zu beurteilen, was er über das prinzipielle Verhältnis von Mann und Frau sagt, denn es gibt sich als Interpretation der göttlichen Schöpfungs- und Erlösungsordnung:

Mann und Weib sind bestimmt, *ein* Leben miteinander zu führen wie ein einziges Wesen. Dem Mann aber als dem Erstgeschaffenen gebührt die Leitung in dieser Lebensgemeinschaft. Man hat aber den Eindruck, daß die Interpretation nicht rein die ursprüngliche und die Erlösungsordnung wiedergibt, sondern in der Betonung des Herrschaftsverhältnisses und gar in der Annahme einer Mittlerstellung des Mannes zwischen dem Erlöser und der Frau noch von der Ordnung der gefallenen Natur beeinflußt ist. Weder der Schöpfungsbericht kennt eine solche Mittelbarkeit des Verhältnisses zu Gott, noch das Evangelium. Wohl aber kennt sie das mosaische Gesetz und das römische Recht. Der Apostel selbst kennt jedoch eine andere Ordnung, da er im selben *Korintherbrief* sagt, wo er über Ehe und Jungfräulichkeit spricht: „Der ungläubige Mann ist durch das gläubige Weib geheiligt..." und „Woher weißt du, Weib, ob du nicht den Mann zum Heil führen werdest?" (1 Kor 7, 14 u. 16). Hier spricht die Ordnung des Evangeliums, wonach jede Seele durch Christus für das Leben gewonnen wird, und jeder, der durch die Verbindung mit Christus geheiligt ist, ob Mann oder Weib, zur Mittlerschaft berufen ist.

Ausführlicher noch wird das Verhältnis von Mann und Frau behandelt im *Brief an die Epheser* (5, 22 ff): „Die Weiber sollen ihren Männern unterworfen sein wie dem Herrn. Denn der Mann ist des Weibes Haupt, wie Christus das Haupt der Kirche ist, er, der Erretter seines Leibes. Aber wie die Kirche Christus unterworfen ist, so die Weiber ihren Männern in allen Dingen. Ihr Männer, liebet eure Weiber, wie auch Christus die Kirche geliebt hat und sich selbst für sie dahingegeben hat, um sie zu heiligen, sie reinigend im Bad des Wassers, im Wort des Lebens, um seine Kirche herrlich darzustellen, ohne Makel noch Rimel u. dgl., sondern daß sie heilig und unbefleckt sei. So sollen auch die Männer ihre Weiber lieben wie ihren Leib. Wer sein Weib liebt, liebt sich selbst. Denn niemals hat jemand sein Fleisch gehaßt, sondern er hegt es und pflegt es, wie auch Christus die Kirche. Denn wir sind Glieder seines Leibes, von seinem Fleisch und seinem Bein. Darum wird der Mann Vater und Mutter verlassen und seinem Weibe anhangen; und es werden die zwei in einem Fleisch sein. Dies ist aber ein großes Geheimnis, ich meine, in Christus und der Kirche. Doch auch ihr sollt jeder einzelne sein Weib lieben wie sich selbst; das Weib aber soll seinen Mann fürchten." Die Stelle führt aus, wie die eheliche Gemeinschaft unter Christus sein soll. Wenn der Herr selbst im Anschluß an die Worte der Genesis nur die Unauflöslichkeit der Ehe und die Einheit der zwei in einem Fleisch hervorgehoben hat, so wird hier näher erklärt, wie diese Einheit zu denken ist.

Wie in dem einzelnen Organismus alle Glieder durch das Haupt gelenkt und dadurch die Harmonie des Ganzen erhalten wird, so muß auch in dem erweiterten Organismus ein Haupt sein, und im gesunden Organismus kann es keinen Streit darüber geben, welches das Haupt und welches die Glieder sind und welches die Funktionen beider. Es darf aber nicht vergessen werden, daß es sich um ein symbolisches Verhältnis handelt (...)

Wenn der Mann des Weibes Haupt sein soll – und wir können sinngemäß gleich hinzufügen: das Haupt der ganzen Familie – in dem Sinn, in dem Christus das Haupt der Kirche ist, so wird es seine Aufgabe sein, dieses kleine Abbild des großen mystischen Leibes so zu leiten, daß jedes Glied darin seine Gaben voll entfalten und zum Heil des Ganzen auswirken könne und daß jedes zum Heil gelange. Der Mann *ist* nicht Christus und hat nicht die Kraft, Gaben zu verleihen. Aber er hat die Kraft, Gaben, die vorhanden sind, zur Entfaltung zu bringen (oder sie niederzuhalten), wie ein Mensch eben dem andern in der Entfaltung seiner Gaben behilflich sein kann. Und es ist seine Weisheit, die Gaben nicht verkümmern, sondern zum Heil des Ganzen sich entfalten zu lassen. Und da er selbst nicht vollkommen ist wie Christus, sondern ein Geschöpf mit manchen Gaben und vielen Mängeln, kann es seine höchste Weisheit sein, seine Mängel durch die Gaben des ergänzenden Gliedes ausgleichen zu lassen (wie es höchste Staatsweisheit des Regenten sein kann, den überlegenen Minister regieren zu lassen). Es ist aber wesentlich für die Gesundheit des Organismus, daß dies unter der Leitung des Hauptes geschieht. Wenn der Leib sich gegen das Haupt empört, wird der Organismus so wenig gedeihen können, wie wenn das Haupt den Leib verkümmern läßt.

Während der *Epheserbrief* die eheliche Gemeinschaft behandelt, spricht sich der Apostel im 1. *Timotheusbrief* noch nachdrücklicher über die Stellung der Frau in der Gemeinde aus. Sie soll einfach und sittsam gekleidet sein und ihre Frömmigkeit durch gute Werke beweisen (1 Tim 2,9 ff). „Die Frau lerne in der Stille in aller Untertänigkeit. Zu lehren aber gestatte ich der Frau nicht, noch auch sich über den Mann zu erheben, sondern sie soll sich still verhalten. Denn Adam wurde zuerst gebildet, danach Eva; und Adam ward nicht verführt, das Weib aber ward verführt und beging so die Übertretung. Sie wird das Heil aber erlangen durch Kindergebären, wenn sie im Glauben und in Liebe und Heiligung mit Eingezogenheit verharrt".

Noch stärker als beim Korintherbrief hat man hier den Eindruck, daß die ursprüngliche Ordnung und die Erlösungsordnung verdeckt ist durch die Ordnung der gefallenen Natur und daß aus dem Apostel noch der vom Geist des Gesetzes bestimmte Jude spricht. Die evangelische Auffassung der Jungfräulichkeit scheint ganz vergessen. Was hier ausgesprochen ist und gegenüber gewissen Mißbräuchen in den griechischen Gemeinden am Platze sein mochte, ist nicht als verbindlich für die prinzipielle Auffassung des Verhältnisses der Geschlechter anzusehen. Es widerspricht zu sehr den Worten und der ganzen Praxis des Heilands, der Frauen unter seinen nächsten Vertrauten hatte und auf Schritt und Tritt in seiner Erlösertätigkeit bewies, daß es ihm um die Seele der Frau genauso zu tun war wie um die Seele des Mannes. Es widerspricht auch jenem Pauluswort, das vielleicht am reinsten den Geist des Evan-

111

geliums zum Ausdruck bringt: „... Das Gesetz war unser Erzieher in Christo, damit wir aus dem Glauben gerechtfertigt würden. Da aber der Glaube gekommen ist, sind wir nicht mehr unter dem Erzieher ... Es ist nicht Jude noch Grieche, nicht Sklave noch Freier: *es ist weder Mann noch Weib.* Denn alle seid ihr eins in Christo Jesu" (Gal 3, 24 ff).

(F 21–28)

Je höher man aufsteigt zur Verähnlichung mit Christus, desto mehr werden Mann und Frau gleich. (Regel des hl. Benedikt: Abt = Vater und Mutter) Damit ist die Beherrschung durch das Geschlecht vom Geistigen her aufgehoben. (D 10)

Alte (Unter)Ordnung, neue Aufgabe:
Die Öffnung der Kirche zur Frau

Edith Stein unterscheidet bei diesem heute so neuralgischen Thema vier Zugänge:

1. Eine *dogmatische* Festlegung über „das Wesen der Frau" gibt es nicht. (Man müßte hinzufügen, daß solche anthropologischen Festlegungen auch nicht dogmatisiert werden können; sie enthalten zu viele wandelbare Hinsichten.) Wohl aber gibt es Aussagen aus der kirchlichen Überlieferung, die einen autoritativen Anspruch haben. Dazu zählt Edith Stein die zeitgenössische Ehe-Enzyklika Pius' XI., worin „als erste und wesentlichste Aufgabe der Frau erklärt (wird), als Gattin und Mutter das Herz der Familie zu sein, und es wird vor der Übernahme anderer Aufgaben gewarnt, sofern sie den Bestand der Familie gefährden würden."[1]

Dieses Bild der Frau wird bei Edith Stein nicht bestritten, es wird aber keineswegs mehr für ausschließlich angesehen.

2. *Kirchenrechtlich* kennzeichnet Edith Stein klar und für den damaligen Wissensstand bereits weit ausgreifend, daß „zweifellos von einer Gleichstellung der Frau mit dem Mann nicht die Rede sein (kann), da sie von allen geweihten Ämtern der Kirche ausgeschlossen ist."[2] Sie bezieht die neueste Literatur über die Diakoninnen der frühen Kirche mit ein und beschreibt die modernen Entwicklungen, an diese Vorbilder anzuknüpfen. Man merkt, daß darin ihr eigenes Herz schlägt, daß sie die vernachlässigte Berufung der Frau für die kirchlichen Dienste neu wachsen sieht – sie nennt Caritas, Seelsorgshilfe, Lehrtätigkeit[3], also nicht zuletzt auch ihre eigene Berufung. Diese Zeichen der Zeit hält sie für unaufhaltsam, eindringlich, dem Willen Gottes entspringend. Klug bemerkt sie: „Rechtssatzungen sind aber in

der Regel nachfolgende juristische Festlegung von Lebensformen, die sich praktisch bereits durchgesetzt haben."[4] Was anders gewendet heißt, daß die lebendigen Antworten auf Gottes Geist immer erst im nachhinein bestätigt werden – dies soll Mut zum Ungewöhnlichen wecken, zum vertrauenden Vorauseilen.

Vor einer letzten Folgerung, dem Priestertum der Frau, schreckt sie noch zurück, allerdings nicht unter allen Umständen, sondern aus einem, wie sie betont, persönlichen Abwägen der Argumente heraus. Die Behutsamkeit des Tones aber ist spürbar. Edith Stein ist eine der ersten überhaupt, die über diese Frage so sachbezogen und unemotional nachdenken. Sie stützt ihre Überlegung auf zwei Gründe: auf das Verhalten des Herrn selbst und auf die kirchliche Übung. Christus hatte im Abendmahlsaal nur die Zwölf um sich gesammelt und beauftragt. Ebenso ließ die Kirche von Anfang an zwar eine ausgreifende karitative und apostolische Wirksamkeit der Frau zu, ja die liturgische Jungfräulichkeit und die Diakonatsweihe, nicht aber das Priesteramt der Frau.[5] Andererseits ist das kirchliche Verhalten für Edith Stein in der Amtsfrage grundsätzlich wandelbar, ja ausdrücklich nicht dogmatisch festgelegt, wie sie wohl weiß und wie es außerdem der kirchenrechtliche Wandel – zu einer Verschlechterung der Stellung der Frau im Vergleich zur Urkirche – selbst belegt. „Dogmatisch scheint mir nichts im Wege zu stehen, was es der Kirche verbieten könnte, eine solche bislang unerhörte Neuerung durchzuführen"[6] – dies auf das geweihte Amt bezogen.

Dennoch bleibt für Edith Stein ein persönliches und ausschlaggebendes „Gefühl" – und sie hütet sich wohl, dies als ein verstandesmäßiges Argument zu bezeichnen –, daß Christus „zu seinen amtlichen Stellvertretern auf Erden nur Männer einsetzen sollte"[7]. Diese Festlegung, die im Bereich des „Geheimnisvollen" bleibt, besagt freilich nichts über die Berufung von Mann und Frau in die Nachfolge Jesu, ja über die letztliche Überwindung der Einseitigkeit des Geschlechts in der vollendeten Menschlichkeit. So hebt die eindeutige Gleichberufung von Mann und Frau durch Christus die kirchenrechtliche Schmälerung der Frauenfunktion auf und gibt ihr einen sekundären, zeit- und traditionsgebundenen Rang.

3. Die *amtlichen Vertreter* der Kirche stehen nach Edith Stein in einer doppelten Weise zum Thema Frau: einmal in „Äußerungen jenes patriarchalischen Sinnes, der eine Betätigung der Frau außerhalb des Hauses gar nicht in Betracht zog und mit der Notwendigkeit einer Bevormundung durch den Mann auf allen Gebieten rechnete."[8] Zum zweiten finden sich aber „ weitblickende Theologen", „die vorurteilsfrei an die Forderungen der liberalen Frauenbewegung herangingen und prüften, wie weit sie mit den Grundlagen katholischer Weltanschauung vereinbar seien, und so zu Bahnbrechern der katholischen Frauenbewegung wurden."[9] Edith Stein sieht daher in der Kirche ihrer Zeit einen „starken Rückhalt"[10] für Frauen; offenbar erwartete sie einen allgemeinen kirchlichen Aufbruch und eine zunehmende Wachheit für diese Fragen sowie die Bereitwilligkeit der Frau, lebendig am Leibe Christi mitzuwirken.

4. Schließlich die *Haltung Jesu* selbst, immer wieder Maßstab des wahren Wertes der Frau und unmißverständlicher Maßstab gegenüber allen Einebnungsversuchen auch kirchlicher Art: „Hat der Herr jemals einen Unterschied zwischen Männern und Frauen gemacht? (...) Und es scheint, daß er heute Frauen in besonders großer Zahl für spezifische Aufgaben in seiner Kirche beruft."[11] Im Hintergrund solcher Sätze stehen natürlich Edith Steins eigene Berufung und die Sicherheit geschenkter Erfahrung. Sie selbst ist Zeugin für die Unmittelbarkeit des göttlichen Eintretens in eine Frau und für die geheimnisvolle Nähe seines Gesprächs. Mittelbare kirchliche Zuordnungen sind deswegen existentiell nicht ausschlaggebend.

Man hat, als die interkonfessionelle Frauenbewegung einsetzte, eine katholische für unmöglich gehalten. Wie mir scheint aufgrund einer falschen Auffassung, die annimmt, daß in der Kirche alles für alle Zeiten unabänderlich festgelegt sei; es wird naiv übersehen, daß die Kirche eine Geschichte hat, daß sie, ihrer menschlichen Seite nach, wie alles Menschliche von vornherein auf Entwicklung angelegt war, und daß diese Entwicklung sich häufig auch in der Form von Kämpfen abspielt. Die meisten dogmatischen Definitionen sind abschließende Ergebnisse vorausgehender, oft jahrzehnte- und jahrhundertelanger Geisteskämpfe. Ähnliches gilt für die kirchenrechtlichen Bestimmungen, die liturgischen Formen, überhaupt alle objektiven Gebilde, in denen sich das geistige Leben niederschlägt.

Die Kirche ist das Reich Gottes in dieser Welt und muß den Wandlungen alles Irdischen Rechnung tragen; sie kann ewige Wahrheit und ewiges Leben in die Zeit nur hineintragen, indem sie jedes Zeitalter nimmt, wie es ist, und es seiner Eigenart gemäß behandelt. Soweit für die katholischen Frauen sich ebenso wie für die anderen die Lebensbedingungen verschoben hatten, mußten auch für sie neue Lebensformen geschaffen werden, und es war durchaus nicht nötig, daß das von vornherein autoritativ geschah, es entsprach vielmehr einer weitgehend geübten Praxis, zunächst dem Spiel der natürlichen Kräfte zuzuschauen. (F 116)

Frauen, die gleich ihr (Maria) sich selbst völlig vergaßen über der Versenkung in das Leben und Leiden Christi, erwählte der Herr mit Vorliebe zu seinen Werkzeugen, um Großes in der Kirche zu vollbringen: eine heilige Brigitta, Katharina von Siena. Und als die heilige Teresa, die machtvolle Reformatorin ihres Ordens in der Zeit des großen Glaubensabfalles, der Kirche zu Hilfe kommen wollte, sah sie das Mittel dazu in der Erneuerung wahren inneren Lebens. (VL 18)

Der mystische Strom, der durch alle Jahrhunderte geht, ist kein verirrter Seitenarm, der sich vom Gebetsleben der Kirche abgesondert hat – er ist ihr innerstes Leben. Wenn er die überlieferten Formen durchbricht, so geschieht es, weil in ihm der Geist lebt, der weht, wo er will: der alle überlieferten Formen geschaffen hat und immer neue schaffen muß. Ohne ihn gäbe es keine Liturgie und keine Kirche.

(VL 21)

Wie stellt sich die Kirche zu den Frauen? Hier ist die Unterscheidung zu machen zwischen der Haltung, die das Dogma, das Kirchenrecht, die menschlichen Vertreter der Kirche und die der Herr selbst einnimmt. Ein *ex cathedra* ausgesprochenes Dogma über Bestimmung der Frau und ihre Stellung in der Kirche haben wir nicht, wohl aber eine traditionelle Lehrmeinung. (...) Es wird darin als erste und wesentlichste Aufgabe der Frau erklärt, als Gattin und Mutter das Herz der Familie zu sein, und es wird vor der Übernahme anderer Aufgaben gewarnt, sofern sie den Bestand der Familie gefährden würden.

Im heutigen Kirchenrecht kann zweifellos von einer Gleichstellung der Frau mit dem Mann nicht die Rede sein, da sie von allen geweihten Ämtern der Kirche ausgeschlossen ist. Wie *V. Borsinger* in ihrer Dissertation über die Rechtsstellung der Frau in der Kirche (Leipzig 1931) nachgewiesen hat, ist der heutige Stand eine Verschlechterung gegenüber den Frühzeiten der Kirche, in denen Frauen amtliche Funktionen als geweihte Diakonissen hatten. Die Tatsache, daß hier eine allmähliche Umbildung erfolgt ist, zeigt die Möglichkeit einer Entwicklung in entgegengesetztem Sinn. Und das kirchliche Leben der Gegenwart weist darauf hin, daß wir eine solche Entwicklung zu erwarten haben, da wir in steigendem Maß eine Berufung der Frauen zu kirchlichen Aufgaben – Caritas, Seelsorgshilfe, Lehrtätigkeit – feststellen können. Rechtssatzungen sind aber in der Regel nachfolgende juristische Festlegung von Lebensformen, die sich praktisch bereits durchgesetzt haben. Wie weit eine solche Entwicklung gehen könnte, ist nicht vorauszusagen. Ich habe bei anderer Gelegenheit ausgeführt (Beruf des Mannes und der Frau nach Natur- und Gnadenordnung), daß ich persönlich an eine Entwicklung bis zur Ermöglichung des Priestertums der Frau nicht glaube.

Die steigende Verwendung von Frauen für kirchliche Aufgaben hängt damit zusammen, daß sich in der Anschauung der amtlichen Vertreter der Kirche über Wesen und Aufgabe der Frau eine Umbildung vollzogen hat und in unserer Zeit noch weiter vollzieht. Wir haben hier natürlich wieder Unterschiede nach den Generationen. Es ist aber keineswegs gesagt, daß es immer nur die Älteren sind, die sich von zeitbedingten und heute überholten Auffassungen nicht freimachen können. Im ersten Band des Handbuchs der Frauenbewegung, in dem *G. Bäumer* die Geschichte der deutschen Frauenbewegung schildert, sagt sie, wie eine selbstverständliche Tatsache, daß es nach den Auffassungen der Kirche eine katholische Frauenbewegung nicht geben könne. Offenbar hat sie gewisse Äußerungen von Priestern über Bestimmung der Frau als verbindliche Lehrmeinung der Kirche aufgefaßt. Es gab wohl Äußerungen jenes patriarchalischen Sinnes, der eine Betätigung der Frau außerhalb des Hauses gar nicht in Betracht zog und mit der Notwendigkeit einer Bevormundung durch den Mann auf allen Gebieten rechnete. Es gibt heute zweifellos noch Vertreter dieser Auffassung, aber sie ist keineswegs das Durchschnittliche. Und es ist auf der anderen Seite zu betonen, daß gerade weitblickende Theologen zu den ersten gehörten, die vorurteilsfrei an die Forderungen der liberalen Frauenbewegung herangingen und prüften, wie weit sie mit den Grundlagen katholischer Weltanschauung vereinbar seien, und so zu Bahnbrechern der katholischen Frauenbewegung wurden. Ich erinnere nur an Josef *Mausbach*. Die Unerschütterlichkeit der Kirche beruht ja gerade darauf, daß sie mit der unbedingten Wahrung des Ewigen eine unvergleichliche Elastizität in der Anpassung an die jeweiligen Zeitverhältnisse und -forderungen verbindet.

So sehen wir heute in kirchlichen Kreisen das Bestreben, die Mannigfaltigkeit weiblicher Kräfte und Anlagen im Dienst der Kirche und zur Durchdringung des gesamten Gegenwartslebens mit dem Geist der Kirche fruchtbar zu machen. Der Aufruf zur katholischen Aktion ist an Männer und Frauen ergangen. Man ist sich darüber klar, daß Erhaltung und Wiederaufbau der Familien nicht ohne tätigen und bewußten Anteil der Frauen möglich ist. Sie sind unentbehrlich für die Erziehung der Jugend innerhalb und außerhalb der Familien, für die Werke der Liebe in weltlichen und kirchlichen Gemeinden; sie sind berufen, in den verschiedenartigsten Wirkungskreisen den Geist des Glaubens und der Liebe in die Herzen zu tragen und das private wie das öffentliche Leben mit diesem Geist formen zu helfen.

(F 105–107)

Damit stehen wir vor der schwierigen und vielumstrittenen Frage des *Priestertums der Frau*.

Wenn wir das Verhalten des Herrn selbst in diesem Punkte betrachten, so sehen wir, daß er freie Liebesdienste für sich und die Seinen von Frauen annimmt, daß unter seinen Jüngern und nächsten Vertrauten Frauen sind – aber das Priestertum hat er ihnen nicht verliehen, auch nicht seiner Mutter, der Königin der Apostel, die an menschlicher

Vollkommenheit und Gnadenfülle über die gesamte Menschheit erhoben war.

Die Urkirche kennt eine mannigfache karitative Tätigkeit der Frauen in den Gemeinden, eine stark apostolische Wirksamkeit der Bekennerinnen und Martyrinnen, sie kennt die liturgische Jungfräulichkeit und auch ein geweihtes kirchliches Amt, das Frauendiakonat, mit einer eigenen Diakonatsweihe (vgl. H. V. Borsinger, Rechtsstellung der Frau in der katholischen Kirche, Leipzig 1931) – aber das Priestertum der Frau hat auch sie nicht eingeführt. Die weitere geschichtliche Entwicklung bringt eine Verdrängung der Frauen aus diesen Ämtern und ein allmähliches Sinken ihrer kirchenrechtlichen Stellung, wie es scheint, unter dem Einfluß alttestamentlicher und römisch-rechtlicher Vorstellungen. Die neueste Zeit zeigt einen Wandel durch das starke Verlangen nach weiblichen Kräften für kirchlich-karitative Arbeit und Seelsorgehilfe. Von weiblicher Seite regen sich Bestrebungen, dieser Betätigung wieder den Charakter eines geweihten kirchlichen Amtes zu geben, und es mag wohl sein, daß diesem Verlangen eines Tages Gehör gegeben wird. Ob das dann der erste Schritt auf einem Wege wäre, der schließlich zum Priestertum der Frau führte, ist die Frage.

Dogmatisch scheint mir nichts im Wege zu stehen, was es der Kirche verbieten könnte, eine solche bislang unerhörte Neuerung durchzuführen. Ob es praktisch sich empfehlen würde, das läßt mancherlei Gründe für und wider zu. *Dagegen* spricht die gesamte Tradition von den Urzeiten bis heute, für mein Gefühl aber noch mehr als dies die geheimnisvolle Tatsache, die ich schon früher betonte: daß Christus als Menschen*sohn* auf die Erde kam, daß darum das erste Geschöpf auf Erden, das in einem ausgezeichneten Sinn nach Gottes Bild geschaffen wurde, ein Mann war – das scheint mir darauf hinzuweisen, daß er zu seinen amtlichen Stellvertretern auf Erden nur Männer einsetzen wollte. Wie er aber *einer* Frau sich so nahe verbunden hat wie keinem andern Wesen auf Erden und sie so sehr zu seinem Bilde geschaffen wie keinen Menschen vorher und nachher, wie er ihr für alle Ewigkeit eine Stellung in der Kirche gegeben hat wie keinem andern Menschen, so hat er zu allen Zeiten Frauen zur innigsten Vereinigung mit sich berufen, als Sendboten seiner Liebe, als Verkünderinnen seines Willens an Könige und Päpste, als Wegbereiterinnen seiner Herrschaft in den Herzen der Menschen. Einen höheren Beruf als den der *sponsa Christi* kann es nicht geben, und wer diesen Weg offen sieht, der wird nach keinem andern verlangen.

Gott in freier Liebeshingabe anzugehören und zu dienen, das ist nicht nur der Beruf einiger Auserwählter, sondern jedes Christen: ob geweiht oder ungeweiht, ob Mann oder Frau – zur Nachfolge Christi ist ein jeder berufen. Je weiter er auf diesem Wege voranschreitet, desto mehr wird er Christus ähnlich werden, und da Christus das Ideal menschlicher Vollkommenheit verkörpert, in dem alle Einseitigkeiten und Mängel aufgehoben, die Vorzüge der männlichen und weiblichen Natur vereint, die Schwächen getilgt sind, werden seine getreuen Nachfolger gleichfalls mehr und mehr über die Grenze der Natur hinausgehoben werden. Darum sehen wir bei heiligen Männern weibliche Zartheit und Güte und wahrhaft mütterliche Fürsorge für die Seelen, die ihnen anvertraut sind, bei heiligen Frauen männliche Kühnheit, Fertigkeit und Entschlossenheit.

(F 42–44)

Wir haben früher die Frage aufgeworfen, ob ein prinzipieller Unterschied besteht zwischen der Weihe der Frau zur *sponsa Christi* und der Weihe des Mannes zum Stellvertreter Christi im Priester- und Ordensstand. Ich glaube, daß da, wo die Übergabe an den Herrn rein und ganz vollzogen ist, bräutliche Liebe der Seele beim Mann wie bei der Frau das Grundlegende sein muß. Und wo zum Ordensberuf nicht das Priestertum hinzukommt, d. h. bei den Laienbrüdern, da wird man sicherlich diese Einstellung um so reiner finden, je weiter sie im inneren Leben fortgeschritten sind. Für den Priester aber besteht die Verpflichtung, immer wieder gewissermaßen den vertrauten Verkehr mit dem Herrn zu verlassen, um an seiner Stelle und für ihn zu lehren, zu richten, zu kämpfen. Und es ist menschlich begreiflich, wenn dahinter die bräutliche Einstellung zurücktritt, die doch erhalten bleiben muß, wenn das Eintreten für den Herrn wirklich in seinem Geiste geschehen soll. Vielleicht kann man von hier aus einen Zugang zu der geheimnisvollen Tatsache finden, daß Gott die Frauen nicht zum Priestertum berufen hat. Es mag auf der einen Seite als Strafe dafür aufgefaßt werden, daß die erste Auflehnung gegen den göttlichen Willen von einer Frau geschah. Es kann aber auf der andren Seite als ein besonderer Gnadenvorzug betrachtet werden, daß der Herr die ihm geweihte Braut niemals von seiner Seite lassen will, daß ihr alle Macht in seinem Reich aus der liebenden Vereinigung mit ihm, nicht durch eine übertragene Amtsgewalt zukommen soll: ein Abbild jener innigsten Liebesgemeinschaft, die er je mit einem Menschen eingegangen, der Vereinigung mit der Gottesmutter. (CF 202–203)

Es ist oft hervorgehoben worden, daß Frauen wegen der größeren Einheit und Geschlossenheit ihres Wesens leichter zu einer Durchdringung des ganzen Lebens vom Glauben her kommen. Dann wird man aber zu der Folgerung gedrängt, daß sie auch leichter imstande sein werden, einen lebensvollen und lebensformenden Religionsunterricht zu geben. Auf alle Fälle wird es ihnen eher gelingen, *Mädchen* in der entscheidenden Weise zu beeinflussen. Damit soll nicht einer Ausschaltung des priesterlichen Einflusses das Wort geredet werden. Aber es soll die Bedeutung der weiblichen Jugendführung hervorgehoben werden. Sie kann für das religiöse Leben nicht nur im Religionsunterricht fruchtbar werden (obwohl ja hier die Stelle ist, wo eigentlich der Grund gelegt werden sollte), sondern im ganzen Unterricht der Schule und auch außerhalb der Schule. (F 197)

Alle, die der Erlösung teilhaftig werden, werden eben damit *Kinder der Kirche,* und darin gibt es keinen Unterschied für Männer und Frauen. Weil aber die Kirche nicht nur die Gemeinschaft der Gläubigen ist, sondern eben der mystische Leib Christi, d. h. ein Organismus, in dem die einzelnen den Charakter von Gliedern und Organen annehmen, durch Natur und Gaben aufeinander und auf den Zweck des Ganzen abgestimmt, kommt auch der Frau als solcher eine eigentümliche *Organstellung* in der Kirche zu. Und schließlich ist sie berufen, in der höchsten und reinsten Entfaltung ihres Wesens das Wesen der Kirche selbst zu verkörpern, ihr *Symbol* zu sein. (F 189)

Für die übernatürliche Mutterschaft der Kirche ist die Frau wesentliches Organ. Zunächst durch ihre leibliche Mutterschaft. Damit die Kirche sich vollende – wozu gehört, daß sie zu der ihr bestimmten Gliederzahl gelange –, muß die Menschheit sich forterzeugen. Das Gnadenleben setzt das natürliche Leben voraus. Der leiblich-seelische Organismus der Frau ist für die Aufgabe der natürlichen Mutterschaft gebildet und die Erzeugung der Nachkommenschaft ist durch das Ehesakrament geheiligt und in den Lebensprozeß der Kirche selbst einbezogen. Der Anteil der Frau an der übernatürlichen Mutterschaft der Kirche geht aber weiter. Sie ist dazu berufen, an der Erweckung und Förderung des

Gnadenlebens in den Kindern mitzuwirken, ist also unmittelbares Organ der übernatürlichen Mutterschaft der Kirche, sie gewinnt selbst Anteil an dieser übernatürlichen Mutterschaft. Und darin ist sie nicht beschränkt auf die eigenen Kinder. Zunächst schließt das Sakrament der Ehe die Berufung der Eheleute zu wechselseitiger Förderung im Gnadenleben ein. Darüber hinaus ist es Aufgabe der Hausmutter, alle in ihrer Obhut Lebenden in ihre mütterliche Fürsorge einzubeziehen. Schließlich ist Weckung und Förderung des Glaubenslebens in den Seelen, wo immer die Möglichkeit dazu gegeben ist, Beruf jedes Christen. Die Frau ist aber in besonderer Weise dazu berufen dank der besonderen Stellung zum Herrn, die ihr zugedacht ist.   (F 191)

Gott in der Frau, die Frau in Gott

Es gibt einige Hinweise darauf, daß Edith Stein auch den in letzter Zeit so bedeutsam gewordenen Gedanken von der Mütterlichkeit oder Weiblichkeit Gottes bereits erwog – was ja von der Sache her naheliegt, wenn man den Genesisausdruck vom Mann als Ebenbild, von der Frau als Ebenbild Gottes ernst nimmt. Und tatsächlich war ja der Schöpfungsbericht Ausgang und Inspiration der Frage nach dem ursprünglichen Bild der Frau, ihrer unmittelbaren Durchsichtigkeit auf den Souverän hin.

Und diese Transparenz ist nach beiden Polen hin offen: vom Urbild auf das Abbild, vom Abbild zurück auf das Urbild. Schrift *und* Überlieferung halten diese Wahrheit in weit größerem Maße gegenwärtig, als es ein durch die Aufklärung verschüttetes „modernes" Bewußtsein weiß. Edith Stein war bereits vor ihrer Taufe in die Väterliteratur eingedrungen, besonders in Augustinus; gegen Ende ihres Lebens wird sie für die Abfassung der „Kreuzeswissenschaft", über deren Manuskript sie am 2. August 1942 verhaftet wird, in die Lehre des Johannes vom Kreuz eintauchen. Augustinus wie nach ihm Johannes haben bezaubernde Bilder von Gottes „Leiblichkeit". Edith Stein wird zusammenfassen: Die „zuvorkommende und helfende Gnade hat bei den Anfängern noch nicht den Charakter der *Dunklen Nacht.* Sie werden vielmehr von Gott behandelt wie kleine Kinder von einer zärtlichen Mutter, die sie auf ihren Armen trägt und mit süßer Milch nährt: es wird ihnen (...) reichlich Freude und Trost zuteil."[1]

Edith Stein übernimmt aber nicht nur Bilder, sie schöpft vielmehr aus warmer Erinnerung an ihre eigene Mutter.

Mit ihr hatte sie das Selbstlose verbunden, die Hilfe, das natürliche Getragensein. All das fließt in *den* Beistand ein, den Geist. In ihm vor allem hat Edith Stein – wieder mit der Überlieferung einig – ein Urbild der Frau gesehen, sei es in einem Gebet, sei es in einer reflektierenden Abhandlung, die im folgenden zu sehen ist.

Alles Geschöpfliche (steht) im Abbildverhältnis zur Gottheit (...) und so muß auch dem weiblichen Sein eine eigentümliche Abbildungsfunktion zukommen. (F 147–148)

Nach dem Bilde Gottes schuf Gott den Menschen. Gott aber ist *dreieinig:* wie aus dem Vater der Sohn hervorgeht und aus Sohn und Vater der Geist, so ist das Weib vom Mann ausgegangen und von ihnen beiden die Nachkommenschaft. Und wiederum: Gott ist die *Liebe.* Zwischen weniger als zweien aber kann die Liebe nicht sein (wie der hl. *Gregor* in der Homilie über die Aussendung der Jünger sagt, die zwei und zwei ausgeschickt wurden). (F 20)

Dienende Liebe ist *Beistand,* der allen Geschöpfen zu Hilfe kommt, sie zur Vollendung zu führen. Das ist aber der Titel, der dem Heiligen Geist gegeben wird. So könnten wir im Geiste Gottes, der ausgegossen ist über alle Kreatur, das Urbild weiblichen Seins sehen. (F 151)

Wenn im Sohn die göttliche Weisheit Person geworden ist, im Geist die Liebe – wenn auf der anderen Seite in der männlichen Natur der Verstand vorherrschend ist, in der Frau das Gemüt, so versteht man es, daß immer wieder der Versuch gemacht wird, die weibliche Natur in eine besondere Verbindung mit dem Hl. Geist zu bringen. Wenn der Hl. Geist die Gottheit ist, sofern sie aus sich selbst ausgeht und in die Geschöpfe eingeht, die erzeugende und vollendende Fruchtbarkeit Gottes, so können wir sie wiederfinden in der Bestimmung der Frau, „Mutter der Lebendigen" zu sein, durch ihr Leben neues Leben hervorzubringen und ihm, wenn es selbständiges Dasein gewonnen hat, zu seiner möglichst vollkommenen Entfaltung zu verhelfen. Wenn der Hl. Geist der Tröster und Beistand ist, der das Verwundete heilt, das Erstarrte wärmt, das Verschmachtete labt, wenn er als Vater der Armen alle guten Gaben austeilt, so finden wir ihn wieder in allen Werken weiblicher Liebe und Barmherzigkeit. Der Geist, der das Befleckte reinwäscht, das Starre biegsam macht, spiegelt sich in weiblicher Reinheit und Milde, die nicht nur selbst rein und milde sein, sondern Reinheit und Milde um sich verbreiten will. Nichts ist diesem „holden Geist", der nichts sein will als sich ausströmendes göttliches Licht, dienende Liebe, nichts ist ihm mehr entgegengesetzt als Stolz, der sich selbst behaupten, und Begehren, das für sich erraffen will. Darum ist die erste Sünde, in der dies beides zusammentrifft, Abfall vom Geiste der Liebe und damit Abfall des weiblichen Wesens von sich selbst. (CF 199–200)

Wer bist du, süßes Licht, das mich erfüllt
und meines Herzens Dunkelheit erleuchtet?
Du leitest mich gleich einer Mutter Hand,
und ließest du mich los,
so wüßte keinen Schritt ich mehr zu gehen.
Du bist der Raum,
der rund mein Sein umschließt und in sich birgt.
Aus dir entlassen entsänk' es in den Abgrund
des Nichts, aus dem du es zum Licht erhobst.
Du, näher mir als ich mir selbst
und innerlicher als mein Innerstes
und doch untastbar und unfaßbar
und jeden Namen sprengend:
Heiliger Geist – ewige Liebe! (VL 175)

Leben aus Liebe:
Der Sinn der Religiosität

Wenn vom Sinn der Religion die Rede ist, meldet sich oft –
gerade bei Frauen – als erstes Gefühl, daß damit etwas am
Leben beschwichtigt werden soll. Zum Beispiel Leiden,
auch das Leiden an Unterordnung und zäher Benachteiligung, das gleichsam zu früh und kampflos in eine Fiat-Hal-
tung abbiegen muß, noch bevor es auf seine Ursache
untersucht, geschweige denn verändert worden ist.

Dieses klassische Ressentiment ist möglich, weil der Sinn
des Religiösen verwechselt ist mit Zweck, und die christliche Geschichte von dieser Verwechslung durchaus nicht
frei ist. Zweck meint die Verführung, Religion als Mittel
des Menschen zu mißbrauchen: gegenüber anderen, um sie
stillzuhalten, zu trösten, anzuspornen … *Und* gegenüber
sich selbst: das Heilige als Mittel zur eigenen Erbauung.

Beide Richtungen des Mißbrauchs halten nicht Stand vor
dem Ernst, um den es Edith Stein geht. Der Umgang mit
Gott ist für sie nicht eigentlich einfach; er wird es erst,
wenn man eigentümliche Schwierigkeiten, in seine Nähe
zu gelangen, durchlebt hat. Dazu zählen etwa das bloße Gefühl, die religiöse Phantasie des ungereiften Menschen, die
magische Erwartung von etwas ganz Bestimmtem, überhaupt die falsche Blickrichtung. Die aufbauende Kraft des
Heiligen kann immer nur von ihm selbst her erwartet werden, sie mißt sich gerade nicht an unseren „Bedürfnissen".
Die Bewegung zwischen Gott und Mensch geht von Gott
aus, nicht umgekehrt. Als Beispiel: Leiden hat keinen
Zweck, aber es mag sein, daß es von Ihm her Sinn hat. Was
Edith Stein an sich selbst und dann für ihre Hörerinnen
trainiert, ist diese grundstürzende Öffnung auf das „Myste-
rium", das *nicht wir unter zweckhafter Kontrolle halten*.

Was in den folgenden Texten als „Gnade" erscheint, ist einerseits wundervolle (selbsterlebte) Erhöhung der eigenen Natur, die etwas Kostbares zutage bringt, das unentbunden verschlossen war: Gott als Löser der Individualität. Anderseits schneidet er in derselben Souveränität auch ins Fleisch, tötet das „eigene, geräuschvolle Selbst"[1]: Gott als Zerstörer des entarteten Daseins. Und diese Befreiung sowie der „Schmelzofen" stammen von demselben göttlichen Bildner[2] – eben dies macht den Umgang mit ihm gleichsam unübersichtlich, ja widerspruchsvoll. Der Widerspruch löst sich nur in einem Reifeprozeß: im Erwerben des Vertrauens, in allem geliebt zu sein. Diese Liebe ist ein ganzheitlicher Vorgang, bei dem nicht notwendig das Gefühl an erster Stelle stehen muß. Es kann nicht minder eine intellektuelle Einsicht sein: etwa die Einsicht in die Verläßlichkeit der Offenbarung, auch die theologische Einsicht in das unbegreifliche Leben der Dreieinheit Gottes selbst, worin „der höchste Sinn des geistig-personalen Seins Wechselliebe und Einssein einer Mehrheit von Personen in Liebe ist"[3]. Die Wahrheit solcher Zusammenhänge kann tragen, wo das Gefühl erschüttert ist.

Es kann ebenso tragen die Erfahrung von Zeugen, Frauen und Männern, die sich diesem lebendigen Leben ausgesetzt hatten und Wachstum *und* Beschneidung des Wuchses mitteilen können – auf dem Boden ihrer Erfahrung, daß beides Liebe war und aus Liebe stammte. Und es trägt natürlich ebenso die unmittelbare Berührung im Gebet, deren Evidenz dem Beter selbst klar ist.

In jedem Fall ist Liebe im Munde Edith Steins kein sentimentales Mißverständnis. Die Sicherheit, womit sie ihre Ratschläge zum Vertrauen auf diese Liebe gibt, weist den Resonanzboden eigener Erfahrung auf. Liebe ist das Vertraut-Schöne, Lebensteigernde, und sie ist ein excessivum, das Lebensprengende.

Glaube aber ist nicht Sache der Phantasie und ist kein frommes Gefühl, sondern ist intellektuelles Erfassen (wenn auch nicht rationales Durchdringen) und willensmäßiges Erfassen der ewigen Wahrheit; als voller, geformter Glaube einer jener tiefsten Akte der Person, in dem alle ihre Kräfte aktuell werden. Sinnliche Anschauung und Phantasie regen die Verstandestätigkeit an und sind als Ausgangspunkt unentbehrlich; Gemütsbewegungen sind Triebkräfte, die den Willen zur Zustimmung bewegen und darum wertvolle Hilfen. Aber wenn man es bei ihnen bewenden läßt, wenn Intellekt und Wille nicht zu ihren Höchstleistungen aufgerufen werden, dann kommt kein echtes und volles Glaubensleben zustande.

Und wer wollte den Mädchen Intellekt und Willen absprechen? Es hieße ihnen volles Menschentum streitig machen. Was ihnen durchschnittlich nicht liegt, ist *abstrakte* Verstandestätigkeit und *bloße* Verstandestätigkeit: sie wollen eine volle Realität erfassen; und sie wollen sie nicht bloß mit dem Verstand, sondern auch mit dem Herzen ergreifen. Und gerade, weil sie von Natur aus dazu neigen, die ganze Person im einzelnen Akt einzusetzen, *liegt* ihnen der Glaubensakt, der die ganze Person mit allen ihren Kräften verlangt, und sind sie leichter als die Knaben zu einem Leben aus dem Glauben zu führen. So verheerend ein gedächtnismäßiges Einprägen unverstandener Katechismussätze ist, so fruchtbar ist das Eindringen in die Glaubensgeheimnisse. (F 196)

Göttliches Leben aber ist Liebe, überströmende, unbedürftige, frei sich verschenkende Liebe: Liebe, die sich erbarmend zu jedem bedürftigen Wesen herabneigt; Liebe, die Krankes heilt und Totes zum Leben erweckt; Liebe, die hütet und hegt, ernährt, lehrt und bildet; Liebe, die mit den Trauernden trauert und mit den Fröhlichen fröhlich ist; die jedem Wesen dienstbar wird, damit es das werde, wozu es der Vater bestimmt hat; mit einem Wort: die Liebe des göttlichen Herzens. Sich liebend hinzugeben, ganz eines andern Eigentum zu werden und diesen andern ganz zu besitzen, ist tiefes Verlangen des weiblichen Herzens. Darin faßt sich die Einstellung auf das Persönliche und auf das Ganze zusammen, die uns als spezifisch weiblich erschien. Wo diese Hingabe einem Menschen gegenüber erfolgt, ist sie eine verkehrte Selbstpreisgabe, eine Versklavung und zugleich ein unberechtigter Anspruch, den kein Mensch erfüllen kann. Nur Gott kann eines Menschen Hingabe ganz empfangen und so empfangen, daß der Mensch seine Seele nicht verliert, sondern gewinnt. Und nur Gott kann sich selbst einem Menschen so schenken, daß er dessen ganzes Wesen ausfüllt und dabei von sich nichts verliert. Darum ist die restlose Hingabe, die Prinzip des Ordenslebens ist, zugleich die einzig mögliche adäquate Erfüllung des weiblichen Sehnens.

Das göttliche Leben aber, das in das Gott hingegebene einzieht, die dienstbereite, erbarmende, lebenweckende und lebenfördernde Liebe, entspricht durchaus dem, was wir als das geforderte Berufsethos der Frau herausgestellt haben. (F 11)

Daß Frauen wie Männer *individuelle* Wesen sind, deren Individualität in der Bildungsarbeit berücksichtigt werden muß, ist wohl genügend hervorgehoben worden. Vielleicht ist es aber, um Mißverständnissen zu begegnen, nicht überflüssig zu betonen, daß Frauen und Männern als *Menschen* ein gemeinsames Bildungsziel gegeben ist: Ihr sollt vollkommen sein, wie euer Vater im Himmel vollkommen ist. In sichtbarer Gestalt steht dieses Bildungsziel uns vor Augen in der Person Jesu Christi. Sein Ebenbild zu werden ist unser aller Ziel. Durch ihn selbst dazu geformt zu werden, indem wir als Glieder mit ihm als dem Haupt verwachsen, ist unser aller Weg. Aber das Ausgangsmaterial ist ein verschiedenes, Gott schuf den Menschen als Mann und Weib und gab jedem seine besondere Aufgabe im Organismus der Menschheit. Durch den Fall sind die männliche und die weibliche Natur entartet. Im Schmelzofen des göttlichen Bildners können sie von diesen Schlacken befreit werden. Und wer sich dieser Formung bedingungslos überläßt, in dem wird nicht nur die Natur in Reinheit hergestellt, sondern er wächst darüber hinaus und wird ein *alter Christus,* in dem die Schranken gefallen sind und die positiven Werte der männlichen und weiblichen Natur vereint sind.   (F 87)

Dazu muß eine ruhige und nüchterne Erwägung der äußeren Tatsachen und Ereignisse kommen. Wer in dem festen Glauben lebt, daß nichts ohne Gottes Wissen und Willen geschieht, den werden auch die erstaunlichsten Begebenheiten und härtesten Schläge nicht leicht aus der Fassung bringen. Er wird die Ruhe bewahren, die Tatsachen klar ins Auge zu fassen und die Richtlinien herauszufinden, die in der Gesamtsituation für sein praktisches Verhalten gegeben sind. Das Leben mit dem eucharistischen Heiland bringt es ferner mit sich, daß die Seele über die Enge des individuell-persönlichen Lebens hinausgehoben wird, daß ihr die Angelegenheiten des Herrn und seines Reiches, genau wie denen, die sich ihm im Ordensstand angelobt haben, zu ihren Angelegenheiten werden und daß in demselben Maß die kleinen und großen Nöte des individuellen Lebens an Gewicht verlieren. Es stellt sich jene Freiheit und Freudigkeit ein, die aus den ewigen Quellen immer neues Leben zu schöpfen weiß: aus den großen Begebenheiten des Weltdramas von Sündenfall und Erlösung, das sich im Leben der Kirche und jeder einzelnen Menschenseele immer wieder erneuert und den Sieg des Lichtes über alle Finsternis immer wieder Ereignis werden läßt. Wer auf diese freie Höhe und zu diesem weiten Ausblick gelangt ist, der ist hinausgewachsen über das, was im gewöhnlichen Sinn „Glück" und „Unglück" genannt wird. Er mag hart um seine äußere Existenz zu kämpfen haben, er mag den Halt eines warmen Familienlebens oder einer entsprechenden menschlich tragenden und stützenden Gemeinschaft entbehren – einsam und freudlos kann er nicht mehr sein. Nicht einmal menschlich einsam: wer mit der heiligen Kirche und in ihrer Liturgie, d. h. wahrhaft katholisch lebt, der findet sich eingebettet in diese größte menschliche Gemeinschaft, er trifft überall auf Brüder und Schwestern, die im Innersten mit ihm verbunden sind. Und weil von jedem Menschen, der an Gottes Hand geht, Ströme lebendigen Wassers ausgehen, übt er eine geheimnisvolle Anziehungskraft auf durstende Seelen aus; ohne es anzustreben, muß er andern, die zum Licht streben, Führer werden, geistliche Mutterschaft üben und „Söhne" und „Töchter" für das Gottesreich erzeugen und heranziehen. – Die Geschichte der Kirche zeigt uns Menschen genug, Männer und Frauen, die diesen Weg „in der Welt" gegangen sind. Und offenbar hat unsere Zeit sie besonders nötig. Dem modernen Heidentum, dem vielfach jedes geistliche Kleid verdächtig ist, das von keiner Glaubenslehre etwas wissen will, kann das jenseitige Leben kaum noch anders nahe kommen als in Menschen, die von außen gesehen seinesgleichen sind, vielleicht denselben Beruf in der Welt ausüben, starke gemeinsame Interessen mit den Menschen dieser Welt haben und doch spürbar von einer geheimnisvollen Kraft getragen sind, die von andersher kommt. (CF 204–205)

Wenn Charakter und Lebensführung des Mannes ein friedliches Zusammenleben unmöglich machen, wenn sich bei Kindern verhängnisvolle Anlagen zeigen, die keinen erzieherischen Bemühungen weichen wollen, wenn dann noch wirtschaftliche Not hinzutritt, dann werden fast unvermeidlich Körperkraft und Nerven aufgezehrt, und schließlich ist auch die Seele ihrer Last nicht mehr gewachsen, wenn ihr nicht aus einer unerschöpflichen Quelle immer neue Kraft zugeführt wird. Diese unerschöpfliche Kraftquelle ist Gottes Gnade. Es kommt nur darauf an, daß man die Wege zu ihr kennt und immer wieder geht. Ein Weg steht jedem Gläubigen zu jeder Zeit offen: der Weg des Gebets. Wer Ernst macht mit dem Glauben an das „Bittet und ihr werdet empfangen", dem wird in jeder Not, wenn auch nicht immer sofort die Abhilfe, die er sich denkt und wünscht, zuteil werden, so doch Trost und Mut, um auszuharren. Für jeden Katholiken liegt ein unermeßlicher Schatz bereit in der Nähe des Herrn im allerheiligsten Sakrament des Altars und im hl. Opfer. Wer lebendig durchdrungen ist vom Glauben an die Gegenwart Christi im Tabernakel, wer weiß, daß hier ein Freund beständig auf ihn wartet, der immer Zeit und immer die gleiche Geduld und Teilnahme hat, Klagen und Bitten und Fragen anzuhören, der für alles Rat und Hilfe weiß – der kann auch unter den größten Schwierigkeiten niemals trostlos und verlassen sein, er hat immer eine Zuflucht, wo er Ruhe und Frieden wiederfinden kann. Und wer in den Sinn des Meßopfers eingedrungen ist, wer es als Erlösungstat Christi mitlebt, der wird mehr und mehr in die Opfergesinnung Christi hineinwachsen. Die täglichen kleinen und großen Opfer, die von ihm verlangt werden, werden nicht mehr zwangsweise auferlegte, erdrückende Lasten sein, sondern werden wirkliche Opfer werden, frei und freudig dargebrachte, durch die er als mitleidendes Glied des mystischen Leibes Christi Anteil gewinnt am Erlösungswerk. Und immer dann, wenn seine natürlichen Kräfte den Aufgaben gegenüber versagen, wenn Körperkraft und Nerven der Arbeit nicht mehr gewachsen sind, wenn man von den Nächsten in den besten

Absichten mißverstanden wird, wenn Wort und Beispiel sich ohnmächtig erweisen, eine teure Seele vom Weg des Unglaubens und der Sünde loszureißen: immer wird man sich aufrichten im Gedanken an die unsichtbare und geheimnisvoll wirkende Kraft des Erlösungsopfers, in das man alle Schmerzen und Leiden, selbst noch die eigene Schwäche und Ohnmacht hineinlegen kann. Dazu kommt in allen Fällen, wo man durch eigene Schuld gefehlt hat, wo man in Gefahr ist, vom Strom der Gnade abgeschnitten zu werden, die Möglichkeit der inneren Erneuerung im Sakrament der Buße: immer wieder frei zu werden vom Druck des Vergangenen und wie neugeboren dem Kommenden entgegenzugehen. (CF 201)

Für die Gattin und Mutter kommt noch eine eigene Kraftquelle hinzu: das *Sakrament der Ehe.* Die Verbindung, die sie eingegangen ist, ist eine geweihte und geheiligte. Sie soll mit dem Mann, der ihr zur Seite gestellt ist, eins sein wie die Kirche mit Christus, ihrem mystischen Haupt. Dieses Bild des Apostels besagt mehr als ein Bild. Mit dem Jawort, das die Braut vor dem priesterlichen Zeugen der Eheschließung ausspricht, wird sie ein besonderes Organ im mystischen Leibe Christi. Wie die Kirche das Gnadenleben, das von ihrem Haupt ihr zuströmt, in sich erhält und in ständiger Fruchtbarkeit weiterleitet an immer neue Glieder, so ist die Frau – als ein sichtbares Sinnbild der Kirche – berufen, die Zahl der Gotteskinder durch Vermittlung des natürlichen und des Gnadenlebens zu vermehren; sie ist eben damit ein wesentliches Organ der Fruchtbarkeit der Kirche und erfährt die Gnadenstärkung für ihren Beruf, so lange sie das Ihre tut, um ein lebendiges Glied zu bleiben und ihr Eheleben im Sinne der Kirche zu führen. Sie wird ausharren können in der ehelichen Verbindung selbst mit einem unwürdigen Gatten, der ihr das Leben zur Qual macht, wenn

sie auch in dieser furchtbaren Entstellung noch das Sinnbild des mystischen Leibes ehrt. (CF 201–202)

Die Erlösungstat hat nicht mit einem Schlage die verderbte
Natur in ihrer ursprünglichen Reinheit wiederhergestellt.
Christus hat das Heil als ein Samenkorn in die Menschheit
hineingesenkt, das wachsen muß in und mit dem inneren
und äußeren Wachstum der Kirche und in jeder einzelnen
Seele besonders. Wir, die wir *in via* sind, auf der Pilgerfahrt
zum himmlischen Jerusalem, erfahren in uns den Kampf
zwischen der verderbten Natur und dem Keim des Gnadenlebens, das emporwachsen und alles Krankhafte ausstoßen
will und kann. Rings um uns sehen wir in den erschrek-
kendsten Formen gerade im Verkehr der Geschlechter die
Früchte der Erbsünde: ein entfesseltes Triebleben, in dem
jede Spur der hohen Berufung verloren scheint; einen
Kampf der Geschlechter gegeneinander, die um ihre Rechte
streiten und dabei auf die Stimme der Natur und die
Stimme Gottes nicht mehr zu hören scheinen. Wir sehen
aber auch, wie es anders sein kann, wo die Kraft der Gnade
wirksam ist. (F 35)

Damit ist der Weg angedeutet, auf dem die Wiederherstellung der Natur und damit des ursprünglichen Berufes von
Mann und Frau zu suchen ist: nur durch die Rückkehr in
das Kindesverhältnis zu Gott ist sie zu erreichen. Die Wie-
deraufnahme an Kindes Statt ist uns gewährleistet durch
die Erlösungstat Christi, wenn wir das Unsere dazu tun. Die
Israeliten des alten Bundes taten das Ihre für die Erlösung,
wenn sie in treuer Befolgung des Gesetzes dem Messias ent-
gegenharrten. Für die Frauen bedeutete das demütige Unterordnung unter die Herrschaft des Mannes, sorgfältige
Hut ihrer Reinheit, eine strengere Zucht der Sinne, als sie

vom Mann gefordert wurde, Verlangen nach Nachkommen, um in ihnen das Heil zu schauen, und treues Bemühen, sie in der Furcht Gottes zu erziehen; für den Mann den vorgeschriebenen Gebets- und Opferdienst, Befolgung der sittlichen und sozialen Gebote, hausväterliche Sorge für Frau und Kinder und Ehrung der Frau als der Mutter seiner Kinder.

Im neuen Bund leistet der Mensch seinen Anteil am Erlösungswerk durch den engsten persönlichen Anschluß an Christus: durch den *Glauben*, der sich an ihn als den Weg zum Heil und darum an die von ihm geoffenbarte Wahrheit und die von ihm dargebotenen Heilmittel hält, durch die *Hoffnung*, die mit festem Vertrauen das von ihm verheißene Leben erwartet, durch die *Liebe*, die ihm auf jede mögliche Weise nahezukommen sucht; ihn immer näher kennenzulernen sucht durch *Betrachtung* seines Lebens und Erwägung seiner Worte, die innigste Vereinigung mit ihm anstrebt in der hl. *Eucharistie*, sein mystisches Fortleben teilt durch das Mitleben des Kirchenjahres und der kirchlichen *Liturgie*. Für diesen Heilsweg gibt es keinen Unterschied des Geschlechtes. Von hier aus kommt das Heil für beide Geschlechter und für ihr Verhältnis zueinander.

(F 34–35)

Braut Christi sein, das heißt dem Herrn angehören und der Liebe Christi nichts voranstellen. Die Liebe Christi über alles stellen, nicht bloß in theoretischer Überzeugung, sondern in der Gesinnung des Herzens und in der Praxis des Lebens, das heißt frei sein von allen Geschöpfen, von falscher Bindung in sich selbst und an andere, und das ist der innerste, geistige Sinn von Reinheit. Diese *virginitas* der Seele muß auch die Frau besitzen, die Gattin und Mutter ist: ja, nur kraft solcher virginitas kann sie ihre Aufgabe erfüllen; dienende Liebe, die weder sklavisches Unterworfensein noch herrisches Sichbehaupten und Gebietenwollen ist, kann nur aus dieser Quelle fließen. Anderseits muß sich dienende Liebe, die das Wesen der *maternitas* ist, allen Geschöpfen gegenüber aus der Liebe Christi notwendig ergeben. Darum wird auch die Frau, die nicht Gattin und Mutter ist, diese geistige maternitas in Gesinnung und Tat bewähren müssen. (F 154)

Eduard *Spranger* hat in einem feinen Aufsatz im *Inselalmanach auf das Goethejahr 1932* darauf hingewiesen, daß in der Faustdichtung neben der Tragödie des Mannes, der von Stufe zu Stufe zu Formen immer höheren Strebens emporsteigt, ein Paralleldrama in Ansätzen zu finden sei: ein Stufenreich von immer höheren Formen der Liebe, die sich in den weiblichen Gestalten verkörpern, bis zur höchsten und reinsten: der erbarmenden und erlösenden Liebe, die im Bilde der Jungfrau-Mutter-Königin erscheint. Das geheimnisvolle „Das Ewigweibliche zieht uns hinan" würde also dahin zu deuten sein, daß in das Wesen der Frau erlösende Kräfte gelegt sind. Ein Gedanke von erhabener und herzbewegender Schönheit, der eine heilige Verantwortung auf uns legt. Er darf uns aber nicht blind machen gegen die harte Tatsache, daß der Riß der Erbsünde durch die ganze Schöpfung und durch die weibliche wie durch die männliche Natur geht und daß erst durch die Erlösung die Natur der Frau ihre Reinheit und ihre Heilkraft gewinnt. (WP 30–31)

Ja, wenn das eigene, geräuschvolle Selbst ganz fort ist, dann ist freilich Raum und Stille, daß anderes Platz finden und sich vernehmbar machen kann. Aber das ist niemand von Natur aus, weder Mann noch Frau. „O Herr Gott, nimm mich auch von mir und gib mich ganz zu eigen Dir", heißt es in einem altdeutschen Gebet. Wir können es selbst gar nicht, Gott muß es machen. Aber so zu Ihm sprechen, das wird der Frau von Natur aus leichter als dem Mann, weil in ihr das natürliche Verlangen lebt, sich ganz zu eigen zu geben. Wenn sie es einmal recht erfaßt hat, daß niemand anders als Gott imstande ist, sie *ganz* zu eigen zu *nehmen*, und daß es sündhafter Raub an Gott ist, sich einem andern als Ihm ganz zu eigen zu geben, dann wird ihr die Übergabe nicht mehr schwer und dann wird sie von sich selbst frei. Dann ist es ihr auch selbstverständlich, sich in ihre Burg einzuschließen, während sie vorher den Stürmen preisgegeben war, die von außen immer wieder hereindrangen, und auch von selbst auszog, um draußen etwas zu suchen, was ihren Hunger stillen könnte. Jetzt hat sie alles, was sie braucht; sie geht nur aus, wenn sie gesendet wird, und öffnet nur dem, was bei ihr Einlaß finden darf.   (F 79)

Anmerkungen

Edith Stein und die Frauenfrage

[1] D 5. (Die Abkürzungen sind den Textnachweisen zu entnehmen.)
[2] L 149.   [3] L 149.   [4] L 161.
[5] Hans Biberstein, späterer Gatte von Ediths Schwester Erna.
[6] L 96.   [7] L 187.   [8] L 191.   [9] F 216.   [10] L 160.   [11] F 105.
[12] Dazu im einzelnen die Einführung zu Kapitel I.
[13] Brief vom 5.1.1917 an Roman Ingarden (Archiv Karmel Köln). An dieser Stelle sei Sr. M. Amata Neyer OCD für die freundliche Einsichtnahme in das Briefcorpus gedankt!
[14] Bekanntlich fand die erste Habilitation am 13.2.1919 an der Universität München statt (die Histologin Adele Hartmann). Vgl. E. Boedeker / M. Meyer-Plath, 50 Jahre Habilitation von Frauen in Deutschland. Eine Dokumentation über den Zeitraum von 1920–1970, Göttingen 1974.
[15] In: Waltraud Herbstrith (Hg.), Edith Stein. Ein neues Lebensbild in Zeugnissen und Selbstzeugnissen, Freiburg 1983, 77.
[16] SB I, 42; Brief an Fritz Kaufmann vom November 1919.
[17] Peter Bamm, Eines Menschen Zeit, Zürich 1972, 35.
[18] SB I, 20.
[19] Beat W. Imhof, Edith Steins philosophische Entwicklung. Leben und Werk, Bd. I, Basel/Boston 1987, 120 f.
[20] Boedeker/Meyer-Plath, 5.
[21] Gertrud Koebner, Ms. ohne Titel vom 22. Juni 1962 (Archiv Karmel Köln), 1.
[22] Koebner, 1 f.   [23] SB I, 86 f.   [24] Koebner, 3.
[25] Brief an Roman Ingarden vom 13.12.1921 (Archiv Karmel Köln).
[26] Brief an Roman Ingarden vom 10.4.1917 (Archiv Karmel Köln).
[27] Brief an Roman Ingarden vom 5.1.1917 (Archiv Karmel Köln).
[28] Imhof, 150.
[29] Imhof, 298, Anm. 99.
[30] Koebner, 3.
[31] Zitiert nach Hilda Graef, Edith Stein – Zeugnis des vernichteten Lebens, Freiburg 1979, 98.
[32] L 165.   [33] L 196.
[34] Die Veröffentlichung bei Herder scheint nunmehr kurz bevorzustehen.
[35] Brief an Roman Ingarden vom 10.10.1918 (Archiv Karmel Köln).
[36] B 76.   [37] B 76.
[38] Quelle: unveröffentlicht im Archiv Karmel Köln.
[39] Brief an Roman Ingarden vom 29.10.1918 (Archiv Karmel Köln).
[40] Bekanntlich setzt der antike Dichter Äsop in seinen Fabeln die

leichtsinnige Grille, die den Sommer versingt, und die arbeitsame Ameise, die den Vorrat für den Winter anlegt, als zwei Typen menschlichen Verhaltens ein.

[41] ThBF 136.   [42] SB I, 97.

Die Herausforderung des Neuen

[1] Vgl. den Sammelband: Elisabeth Prégardier / Anne Mohr (Hrsg.), Politik als Aufgabe. Engagement christlicher Frauen in der Weimarer Republik. Aufsätze – Dokumente – Notizen – Bilder, Annweiler 1989.
[2] F XXXVIII.
[3] SB I, Brief vom 8. 8. 1931.

Was ist „weibliche Eigenart"?

[1] G. von le Fort, Die ewige Frau, München 1963, bes. 11–29.
[2] F 61.   [3] F 55.   [4] CF 198.   [5] F 77.   [6] F 51.
[7] F 52.   [8] F 131–134.   [9] F 49.   [10] D 10.
[11] Brief vom 2.10.1961 an Hildegard Deppisch, München. Frau Deppisch sei für die Überlassung des Briefes herzlich gedankt!

Mutterschaft, leiblich und geistig

[1] WP 172.   [2] F 53.   [3] F 48.   [4] F 48.   [5] D 7.
[6] F 154.   [7] D 7.

„Gegen spießbürgerliche Enge"

[1] F 74.   [2] F 74.
[3] D 2. In dieser Diskussion über die „Grundlagen der Frauenbildung" lehnt Edith Stein das „alte Schulsystem der Aufklärung" nachhaltig und aus eigener Erfahrung von seiner Unfruchtbarkeit ab.
[4] F 63.   [5] F 112.   [6] F 61.   [7] F 65.   [8] F 82.
[9] F 153.   [10] F 153.

Beruf und Berufung

[1] F 103.   [2] F 7.   [3] F 105.   [4] F 216.   [5] F 210.
[6] F 12.   [7] F 14 f.

Das biblische Spannungsfeld zwischen den Geschlechtern und seine (Er-)Lösung

[1] F 19.   [2] F 19 f.   [3] F 21.   [4] F 24.   [5] F 25.   [6] F 27.
[7] F 28.   [8] F 34.   [9] F 35.

Alte (Unter)Ordnung, neue Aufgaben

[1] F 106.   [2] F 106.   [3] F 106.   [4] F 106.   [5] F 42.
[6] F 43.   [7] F 42.   [8] F 107.
[9] F 107; als Vertreter solcher Theologen nennt Edith Stein Josef Mausbach.
[10] F 108.   [11] F 108.

Gott in der Frau, die Frau in Gott

[1] KW 43.

Leben aus Liebe

[1] F 79.   [2] F 87.   [3] EeS 470.

Textnachweise

B   Beiträge zur philosophischen Begründung der Psychologie und der Geisteswissenschaften, Tübingen ²1970

CF   Christliches Frauenleben, in: Mädchenbildung auf christlicher Grundlage, 28,7 (1932), 193–205

D   Diskussion zum Vortrag von Dr. Edith Stein „Grundlagen der Frauenbildung" am 9. November 1930 bei der Tagung der Bildungskommission des Katholischen Deutschen Frauenbundes (Diskussionsleitung Dr. Gerta Krabbel). Maschinenschriftlich im Archiv des Katholischen Deutschen Frauenbundes, Köln

EeS   Endliches und ewiges Sein. Versuch eines Aufstiegs zum Sinn des Seins, Edith Steins Werke II, hg. von L. Gelber u. R. Leuven, Druten/Freiburg ³1986

F   Die Frau. Ihre Aufgabe nach Natur und Gnade, Edith Steins Werke V, hg. von L. Gelber u. R. Leuven, Freiburg/Louvain 1959

GL   Ganzheitliches Leben, Edith Steins Werke XII, hg. von L. Gelber u. M. Linssen, Freiburg 1989

KW   Kreuzeswissenschaft. Studie über Johannes a cruce, Edith Steins Werke I, hg. von L. Gelber u. R. Leuven, Freiburg/Louvain 1950

L   Aus dem Leben einer jüdischen Familie. Das Leben Edith Steins: Kindheit und Jugend. Vollständige Ausgabe, Edith Steins Werke VII, hg. von L. Gelber u. R. Leuven, Druten/Freiburg 1985

SB I   Selbstbildnis in Briefen, Erster Teil 1916–1934, Edith Steins Werke VIII, hg. v. L. Gelber u. R. Leuven, Druten/Freiburg 1976

ThBF   Theoretische Begründung der Frauenbildung, in: Wochenschrift für katholische Lehrerinnen, 1932/33, 136

VL   Verborgenes Leben. Hagiographische Essays, Meditationen, geistliche Texte, Edith Steins Werke XI, hg. von L. Gelber u. M. Linssen, Druten/Freiburg 1987

WP   Welt und Person. Beitrag zum christlichen Wahrheitsstreben, Edith Steins Werke VI, hg. von L. Gelber u. R. Leuven, Freiburg/Louvain 1962